CANIBAIS

Livros do autor publicados pela **L&PM** EDITORES

Canibais – paixão e morte na Rua do Arvoredo (2004)
Mulheres! (2005)
Jogo de damas (2007)
Pistoleiros também mandam flores (2007)
Cris, a fera (2008)
Meu guri (2008)
A cantada infalível (2009)
A história dos Grenais – com Nico Noronha, Mário Marcos de Souza e Carlos André Moreira (2009)
Jô na estrada – com ilustrações de Gilmar Fraga (2010)
Um trem para a Suíça (2011)
Uma história do mundo (2012)
As velhinhas de Copacabana (2013)
A graça de falar do PT e outras histórias (2015)
O que você nunca deve perguntar a um americano (2017)
Hoje eu venci o câncer (2018)
Histórias bem temperadas (2020)

David Coimbra

CANIBAIS

PAIXÃO E MORTE NA RUA DO ARVOREDO

www.lpm.com.br
L&PM POCKET

Coleção **L&PM** POCKET, vol. 478

Texto de acordo com a nova ortografia.

Este livro foi publicado em primeira edição pela L&PM Editores, em formato 14x21cm, em 2004.
Primeira edição na Coleção **L&PM** POCKET: dezembro de 2005
Esta reimpressão: julho de 2022

capa: Marco Cena
revisão: Jó Saldanha, Larissa Roso e Renato Deitos

ISBN 978-85-254-1503-5

C679c Coimbra, David
Canibais: paixão e morte na rua do Arvoredo / David Coimbra. – Porto Alegre: L&PM, 2022.
272 p. ; 18 cm. (Coleção L&PM POCKET)

1.Literatura brasileira-romances. I.Título. II. Série

CDD 869.93
CDU 821.134.3(81)-3

Catalogação elaborada por Izabel A. Merlo, CRB 10/329

Rua Comendador Coruja 314, loja 9 – Floresta – 90.220-180
Porto Alegre – RS – Brasil / Fone: 51.3225.5777 – Fax: 51.3221.5380

Pedidos & Depto. Comercial: vendas@lpm.com.br
Fale conosco: info@lpm.com.br
www.lpm.com.br

Impresso no Brasil
Inverno de 2022

Apresento David Coimbra, grande ficcionista

Moacyr Scliar

De início, duas coisas devem ser ditas de David Coimbra: a primeira, que é um escritor talentoso; a segunda, que é um escritor surpreendente. Transformou sua coluna esportiva em *Zero Hora* numa verdadeira janela para o mundo, narrando histórias que, de alguma maneira relacionadas ao esporte, falam, ao fim e ao cabo, da condição humana. Com isso conquistou um imenso público que o acompanha no jornal e em livros. Esses leitores, entre os quais me incluo, estavam certos de que, mais dia menos dia, David Coimbra alçaria vôo, partindo para uma ficção longa. Esta expectativa se confirmou: aqui estamos diante do David Coimbra romancista, com seu *Canibais – paixão e morte na rua do Arvoredo*. É uma história baseada em um sombrio episódio do passado porto-alegrense, um desses episódios que as cidades guardam como esqueletos em armário (e aqui esqueletos não é figura de retórica). Os crimes da rua do Arvoredo horrorizaram os porto-alegrenses em meados do século 19: José Ramos, homem culto, sensível, amante da música clássica e da poesia, matou várias pessoas (degolando-as, como era comum nas guerras e revoluções gaúchas), usando a carne das vítimas para fabricar lingüiça. Este detalhe era particularmente aterrador, porque transformava pacatos habitantes da então pequena cidade em inconscientes canibais. Pois David Coimbra retoma aquilo que é quase uma lenda urbana para construir uma narrativa simplesmente empolgante, que tem como cenário uma Porto Alegre de "...escravos fugidos, imigrantes desgarrados, bandidos de todo tipo". É um romance histórico? É um romance histórico, que reconstitui cuidadosamente o passado porto-alegrense. Mas é um tema de palpitante atualidade: até hoje a mente do *serial killer* continua intrigando e fascinando nosso mundo. Não é preciso dizer que a experiência prévia de David Coimbra lhe valeu muito; todas as qualidades que exibia na narrativa curta, aqui estão, de igual maneira apaixonando o leitor, mas formando um verdadeiro painel social. A reconstituição do passado mescla-se com perfeição à trama ficcional, de modo a criar uma narrativa que nos prende pela autenticidade e nos arrasta pela fantasia. Raramente, na ficção brasileira, encontramos tão próximos Eros e Tanatos, a paixão e a morte; a cena em que Ramos possui e depois degola uma de suas vítimas é arrepiante, mas nos remete às fantasias mais profundas da mente humana. Tudo isso, é preciso dizer, numa linguagem ágil, convincente, a linguagem que conjuga de maneira precisa a comunicação jornalística com o vôo ficcional.

Leitores: vocês que já conheciam David Coimbra colunista, encontrem agora David Coimbra, romancista. E concordem comigo: esta é uma bela obra da nova ficção gaúcha, que é, por sua vez, ponto alto da nova ficção brasileira.

Sumário

1. "E o enorme vulto de um homem saiu da sombra"

Catarina Palse era uma caçadora de homens.

Naquela noite, Duarte era a caça. Desavisado, entrou no território dela, as sombras da rua do Arvoredo. Foi fisgado assim que a viu caminhando com indolência de gata sem dono, caminhando como quem não vai a lugar algum. Passeando, que estava claro que ela passeava.

Estranhou.

Nenhuma mulher "de bem" ousava sair de casa àquela hora. Porto Alegre era perigosa à noite. Escravos fugidos, imigrantes desgarrados, bandidos de todo tipo se atocaiavam em cada canto penumbroso das estreitas e malcheirosas ruas da Capital. O incauto caminhava por uma das ruelas do centro e, de repente, um ou dois escravos quilombolas lhe pulavam em cima, navalha ou porrete em punho. Depois de limpar a vítima de todos os seus tostões, se homiziavam nos campos baldios da Várzea ou no Areal da Baronesa ou em alguma das ilhas do Guaíba. A situação era tão grave que o chefe de polícia Dario Rafael Callado decretara toque de recolher ao bimbalhar do sino da Igreja Matriz, mas algumas pessoas continuavam se aventurando em busca de diversão e, sobretudo, de sexo.

Sexo. Era o que Duarte queria. Suas virilhas formigavam de desejo quando ele olhava para Catarina ondulando as ancas em sua direção. Jamais vira mulher tão linda. O cabelo loiro, esvoaçante, devia ser suave ao toque. Os lábios eram carnudos, mas ao mesmo tempo despretensiosos. Os olhos... azuis ou verdes? Verde-azulados, decidiu Duarte. Uma mulher de boa altura, quase um metro e setenta, esguia, segura de si, pelo jeito que andava.

A noite se cristalizou no instante em que ela apareceu na esquina. Duarte permaneceu sob uma das árvores que davam nome à rua, sentindo o coração ribombar no peito. Catarina veio do fundo da rua, as árvores lhe servindo de corredor, as copas folhadas de dossel. Duarte a observava se aproximar com o peito oprimido pela beleza de Catarina. Quando ela ficou a uma distância de dois passos, ele temeu que seu coração fosse estourar. Catarina passou devagar. Bem devagar.

Bem devagar.

Duarte pensou em abordá-la, mas logo se acovardou. Achou improvável que tivesse uma chance. Trabalhava numa camisaria, ganhava pouco, era solteiro, e um solteiro que ganhasse pouco, na época, enfrentaria problemas no mercado do sexo da cidade. Só com escravas ou meretrizes, nunca uma fêmea deslumbrante como Catarina. Verdade que ela se comportava como uma mulher da vida, zanzando pela noite, coquete, mas... não parecia. Ela parecia uma mulher... direita.

Então, aconteceu. Catarina girou o longo pescoço para trás e lhe pespegou um olhar de esmeralda. Seria possível? Cristo!, era evidente que o olhava. Duarte estremeceu. Será que sua sorte havia chegado? Ele sabia que havia um dia de sorte na vida de cada homem. Depois de vinte e tantos anos, teria enfim o seu dia de sorte?

Catarina continuava a fitá-lo por cima dos ombros de leite, pequenas ondas de cabelo dourado agitadas pela brisa do outono porto-alegrense. Em seguida, virou o queixo delicado para a frente. Continuou caminhando. Duarte a seguiu, o coração aos saltos. Ela avançava pela rua tortuosa, rua sem calçamento, de terra batida, que ora se estreitava, ora se alargava. Caminhava ainda lentamente, mas agora com um tanto mais de decisão. Seguia da esquina do Beco do Poço, onde Duarte a vira pela primeira vez, para a região que dava para o pátio do palácio da Presidência. De repente, parou. Será?... Duarte conhecia aquela casa. Será que... que o levava para a casa amaldiçoada? Jesus! Exatamente. Era a casa. Lá estava ela, parada diante do portão, olhando-o mais uma vez. Duarte teve vontade de voltar correndo para o seu pequeno quarto na rua da Ponte. Mas Catarina chamava-o com o olhar de promessas. Devia ir atrás dela? Devia entrar na casa maldita?

Catarina já se ia pelo jardim. Duarte estacou no portão. Olhou para os lados, para a rua escura. Os lampiões a óleo de peixe não estavam funcionando. Como esses lampiões exalavam mau cheiro e uma nuvem de fuligem que manchava roupas e sujava casas, a Câmara de Vereadores decidira mantê-los apagados nas noites de lua. Naquele momento, Duarte preferia que estivessem acesos. Era difícil enxergar, apesar da clara luz da lua. Olhou para trás, por sobre os ombros. Fitou a colina que levava ao palácio e à praça da Matriz. E também ao cemitério antigo. Sentiu um arrepio ao pensar no velho cemitério. Suspirou. Devia entrar? Não queria, tinha medo daquela casa. Mas a ânsia por sexo lhe comichava as glândulas, lhe abrasava o rosto. Fazia mais de ano que não pegava mulher. A última fora a escrava Aparecida. Nada que o entusiasmasse. Não apreciava sexo a soldo. Mas como alternativa só havia, basicamente, o casamento. Com 23 anos de idade e sonante algum no bolso, Duarte não se sentia pronto para o matrimônio. Além disso, sabia que não podia ser considerado um tipo atraente. Magro demais. As mulheres de meados do século 19 realmente não apreciavam homens magros demais. Outra: o bigode de Duarte era muito ralo. Oh, como ele gostaria de ostentar um bigode espesso, uma barba frondosa como a do revolucionário Garibaldi, que arrebatara uma brasileira durante a Guerra dos Farrapos e agora fazia fremir a Itália, do outro lado do oceano. Ah, Duarte realmente ansiava por desfraldar uma taturana negra e gorda sob o nariz, que tornasse seu rosto mais cheio, mais forte, mais másculo. Suspirou outra vez. Uma fêmea como Catarina interessar-se por ele não acontecia sempre. Não acontecia nunca! Precisava aproveitar a chance.

"É o meu dia!", murmurou para a própria gravata. "É o meu dia." Essa certeza lhe forneceu coragem.

Abriu o pequeno portão e entrou. Olhou para o jardim sombrio: a grama alta, malcuidada, não devia ser cortada há meses. As árvores copadas, espalhadas aleatoriamente, aumentavam as áreas de penumbra do lugar. Duarte sentiu um calafrio lhe gelando as vértebras. Catarina parou no alpendre e virou-se para ele. Sussurrou, rouca:

– Vem.

Os pelos da nuca de Duarte se eriçaram. Ela disse apenas vem, e foi a frase mais espetacular que ele jamais ouviu.

Vem.

Lindo. Suas bochechas magras queimavam. Naquele momento, sentiu-se bem como há muito não se sentia. Sentiu-se... um gordo. Forte, bem-fornido, a prosperidade fazendo dobras na cintura.

Vem.

Foi. O olhar sempre atarraxado nos olhos luminosos de Catarina, olhos verdes e úmidos, olhos de felina prestes a devorar sua presa. De repente, pareceu ter visto um vulto numa janela. Parou de novo, a um passo do alpendre.

– Tem mais alguém em casa? – perguntou.

Ela sorriu um sorriso que lhe cavou duas covinhas no rosto perfeito:

– Vem.

Nossa Mãe, quem poderia resistir?

Catarina entrou na casa. Duarte levantou

o pé vacilante e, finalmente, subiu no alpendre. Tirou o chapéu de pano da cabeça e cruzou a porta entreaberta.

Na sala, viu móveis poucos e toscos, algumas cadeiras, um armário grande, um canapé. No centro da peça, havia uma enorme mesa com algo, decerto comida, coberto por uma toalha branca. Na parede, um retrato, uma fotografia de estúdio, dessas que se tornaram moda no país. Duarte fixou-se no retrato. Conhecia aquele homem. Conhecia! Quem?... Mas... não seria José Ramos, o açougueiro? Claro, o açougue ficava ali em frente, no terreno da casa. Como Duarte era distraído! Estava na casa de outro homem, certamente com a esposa dele. Oh, Deus, o que significava aquilo? Onde andaria o açougueiro? Sentiu a boca secar. Não devia estar ali. Não mesmo. Não é saudável seguir mulheres de açougueiros e entrar na casa deles quando elas dizem: vem. Devia ir embora, voltar para sua casa. Aí estava uma palavra que lhe transmitia segurança: casa. Era onde queria estar agora.

Mas Catarina se aproximou, chegou bem perto e lhe tomou a mão. O contato com a pele fria e macia excitou Duarte o suficiente para que, num segundo, esquecesse de casa, do açougueiro, da santa prudência e de si mesmo. Desejava Catarina, só isso.

Ela o puxou através da sala, para um corredor. Poucos passos mais e então pararam diante de uma porta fechada. Catarina levou a mão livre ao trinco e a abriu.

Era o quarto.

Duarte sorriu. Queria gargalhar, na verdade. Fez força para não gargalhar. Catarina continuou conduzindo-o. Levou-o até a cama, uma cama de casal, grande, com lençóis brancos desarrumados. Pôs as duas mãos em seu peito e o empurrou de leve, fazendo com que sentasse. Duarte sentou-se, obediente. Ela se afastou um passo. Dois. De pé, com movimentos rápidos de gazela, se livrou do vestido verde como seus olhos. Estava nua. Uma nudez ofuscante de tão maravilhosa. Que tipo de mulher era aquela? Sequer usava anágua! Uma mulher completamente nua. Completamente! Duarte nunca vira uma mulher nua sem precisar pagar por isso. No máximo, vislumbrara os tornozelos de algumas criadinhas mais faceiras na rua da Praia. Jesus Cristo! Duarte sentia que a respiração lhe faltava.

Então ouviu um suspiro. Havia mais alguém na casa. Duarte saltou da cama. Que suspiro era aquele?

– Que suspiro é esse?

Olhou para os lados, em busca de uma terceira pessoa. Era óbvio que havia uma terceira pessoa, em algum lugar. Embaixo da cama? Agachou-se, procurou debaixo da cama. Um penico, provavelmente vazio. Muita poeira. Sentou-se de novo no colchão, o coração bombeando sangue para as têmporas.

Catarina veio do meio do quarto, ondulando. Os joelhos redondos dela colaram nos joelhos pontudos dele. As mãozinhas dela voaram na sua direção, duas pequenas borboletas brancas. Cingiram-lhe os braços de graveto. Levantaram-no suavemente. Duarte obedeceu ao leve comando da loira. Pôs-se de pé. Abaixou a cabeça e fitou os bicos intumescidos dos seios dela. O medo pareceu pequeno perto daqueles bicos duros.

– Foi o vento – cochichou ela, a voz quente lhe titilando os tímpanos, o cabelo fino lhe acariciando o rosto. – Essa casa é cheia de frestas.

Empurrou Duarte de volta à cama, um empurrãozinho doce, mas suficiente para fazêlo desabar. Decúbito dorsal. Duarte sentiu um pouco de vergonha da estreiteza de seu corpo ao aterrissar no colchão. Catarina acavalou-se nele, ronronando. E ele se esqueceu do medo, esqueceu-se da vida. Oh, Deus, não acredito!, pensava. Não acredito, não acredito!

Duarte tremia de prazer. Catarina deitou-se sobre ele. Uma mulher linda e nua deitada sobre ele, ele não acreditava. Ela enroscou seu pescoço liso e comprido no pescoço dele. Duarte sentia o peso leve e o calor de seu corpo. Teve uma ereção. Ficou constrangido. Não era educado ter ereções daquela forma, o que ela poderia pensar? Catarina ergueu o torso outra vez. Começou a tirar a roupa dele, lentamente. Não permitia que ele participasse, não deixava que agisse. Ela queria fazer tudo. Duarte, que sempre se envergonhara da sua nudez, não pensava em mais nada. Estava paralisado de prazer. Deixava a iniciativa para ela. Catarina acavalou-se sobre ele de novo. E começou a passar o sexo em seu corpo anguloso.

Em todo o corpo. Nas pernas, na barriga, nos braços, no rosto, no sexo de Duarte.

Hora e meia depois, Duarte jazia na cama, feliz e saciado. Que mulher! Olhou mais uma vez para aquela nudez resplandecente. Olhou para o teto, procurando o firmamento. Pensou: obrigado, Deus. Havia sido a melhor noite da sua vida, o ponto culminante, seu dia de sorte que chegara, enfim. Tinha de repetir tudo. Tudo. Não seria feliz se não repetisse aquela noite. Quis saber:

– Você é casada? Com o açougueiro? Onde ele?...

– Você falar demais – interrompeu Catarina, num delicado sotaque alemão. Quem diria, era a primeira vez que um sotaque alemão parecia delicado a Duarte.

Sorrindo, ela escorregou para fora dos lençóis. Ergueu-se. Era a Vênus de Botticelli, nua e deslumbrante. Assim nua, as carnes rijas e brancas, caminhou até a porta e olhou para trás, por sobre os ombros redondos:

– Vem.

Parecia ser sua palavra preferida.

Duarte se levantou, inseguro. Olhou em volta, procurando suas roupas pelo chão de tábuas do quarto. Devia vesti-las? Mas Catarina já se afastava. Bem, ela estava nua... Resolveu ficar nu também. Seguiu-a até a sala, a pele pendurada frouxamente nos ossos. Como gostaria de ter uma barriga burguesa.

Ela parou em frente à mesa e, num gesto seco de mágico de teatro, puxou a toalha. Surgiu uma mesa posta. Sobre ela estavam dispostas garrafas de vinho, pães de meio quilo, um tablete de queijo do tamanho de uma caixa de sapatos, uma travessa com linguiças, outra com fatias de bolo. Catarina buscou uma cadeira. Ofereceu-a a Duarte. Ele sentou-se, ainda nu, sorrindo para os acepipes. (Não acredito, não acredito!) Estava se sentindo um paxá. Um rei. O próprio imperador Dom Pedro. Comeu com prazer. Tudo ótimo, mas a linguiça... Jamais comera linguiça tão saborosa. De suíno, concluiu, só podia ser de suíno, algum suíno criado com método e arte. Catarina observava-o em silêncio, com um meio sorriso tornando ainda mais desejáveis os lábios polpudos. Comprazia-se com a visão de Duarte se regalando, era a impressão que passava. Decerto, ela mesma tinha engendrado todas aquelas delícias. Uma mulher linda e boa cozinheira. Poderia existir um anjo assim?

Duarte estalou os beiços ao terminar.

– Divino! – exclamou. – Divino!

Viu Catarina bater com o garfo no copo, como se chamasse uma criada. Haveria ainda mais guloseimas? E aquela linguiça formidável? Estava curioso sobre aquela linguiça. Onde criavam aqueles porcos deliciosos? Se comesse aquelas maravilhas todos os dias, se tornaria um gordo, enfim. Olhou para Catarina, os cotovelos ainda cravados na mesa, e perguntou:

– Da onde é que...

Não terminou a frase. Num instante, o chão se abriu, a sala desapareceu da visão de Duarte, e ele mergulhou na escuridão.

Duarte se chocou contra o solo duro, de chão batido. Gemeu. Contorceu-se. Não conseguia se mexer muito. Várias partes do corpo lhe doíam. Teria quebrado algum osso? Onde estava? Olhou para cima. Viu o quadrado de luz que vinha do teto – o alçapão pelo qual fora sugado. Catarina. Ela devia estar lá.

– Ei! – gritou. – Ei!

Nada. Duarte tentou se erguer. O corpo doía demais. Mal conseguia sentar-se. Será que alcançaria o teto, se pulasse? Olhou para cima: de jeito nenhum. Três Duartes, um sobre o outro, não alcançariam o alçapão. Pensou em gritar de novo, quando algo se moveu na escuridão. Duarte forçou os olhos. Uma forma humana estava parada de pé, junto a uma coluna. Duarte sentiu o pavor lhe comprimir o peito. O que era aquilo? Quem era?

Súbito, assaltou-lhe a consciência de que estava nu. Olhou para o próprio corpo magro, ossudo, desbotado. Sentiu vergonha, sentiu-se indefeso e, sobretudo, sentiu medo. Queria chorar, estar de volta ao seu pequeno quarto na rua da Ponte, queria que nada daquilo tivesse acontecido, nem a noite de sexo, nem a ceia faustosa. O vulto continuava lá, agora imóvel. Mas Duarte sabia que era alguém. Ou algo.

– Quem está aí? – gritou, voz trêmula.

Nenhuma resposta. Duarte começou a ofegar. Sentou-se, enfim, com grande dificuldade.

– Quem está aí? – repetiu.

E o enorme vulto de um homem saiu da sombra. Duarte olhou-o, cheio de pavor. Era a visão mais horrenda da sua vida. Tinha bem uns dois metros de altura. Vestia um avental ensanguentado. Levava nas mãos um machado enorme.

O homem lançou-lhe um olhar cruel. Era o próprio Mal que o encarava.

Nu, rojado ao solo, indefeso, Duarte se encolheu. Teve vontade de gritar, mas sentiu um misto de vergonha e pavor. Não conseguia tirar os olhos do homem parado a sua frente, ameaçador.

Então o reconheceu.

O açougueiro. Sim, só podia ser José Ramos! A familiaridade encheu Duarte de esperança e, até, de meia porção de coragem. Duarte o conhecia, ele não era nenhum monstro, nada sobrenatural, nada inumano. Já tinham se cumprimentado na rua, trocado olhares. Conheciam algo um do outro. Era possível negociar. Talvez Ramos quisesse dinheiro, talvez estivesse furioso porque Duarte dormira com a mulher dele. Isso! Era ciúme! O arrabaldino sentimento do ciúme. Mas Duarte nem sabia que eram casados... Entrara na casa embalado pela maior inocência. Ela que o havia provocado. Sim, ia negociar. Começou a dizer:

– Senhor Ramos, eu...

Foi interrompido outra vez. Era uma noite de frases incompletas para Duarte. Viu Ramos fazer um movimento rápido com as duas mãos, um gesto enérgico e feroz. A princípio, não entendeu bem o que aconteceu. Apenas sentiu um forte baque que lhe fez tremer a testa, o pescoço, a espinha dorsal, o corpo inteiro. Então, a confusão, a dor intensa, e a compreensão derradeira de que estava com uma lâmina, a lâmina do machado, fincada entre os olhos. Queria falar algo, queria se queixar, queria tirar aquilo da testa, mas tudo escureceu.

2. "Abriu um talho na garganta"

Ramos não deixou que o corpo de Duarte desabasse. Susteve-o pelos cabelos. O machado cravado na testa dificultava-lhe um pouco os movimentos. Postou-se atrás do corpo. Apoiou as costas de Duarte em seus joelhos. Com a mão esquerda, tomou-lhe o queixo. Puxou para cima. O pescoço ficou bem à mostra, branco, o gogó saltado. Levou a mão direita às costas. De lá, trouxe um facão de dois cabos e bom fio. Num único e vigoroso golpe, abriu um talho na garganta de Duarte. Lembrou-se do seu pai, sempre se lembrava dele nesses momentos. Não com remorso, não com dor, não com alegria. Apenas uma lembrança. Devia ser exatamente assim que o velho fazia na Guerra dos Farrapos. Exatamente assim.

Finalmente, o açougueiro recuou dois passos e permitiu que o corpo desabasse, o sangue se espalhando pelo chão de terra batida. Ramos contemplou o corpo de Duarte por alguns segundos. Pouca carne. Nenhuma gordura. Embainhou o facão sem se preocupar em limpá-lo. Debruçou-se sobre o cadáver, curvando o torso, as grandes mãos apoiadas nos joelhos. Olhava-o com curiosidade, como se tentasse descobrir algo nos olhos baços. Examinou-o bem. Tinha ainda os olhos abertos, uma expressão de perplexidade no rosto lívido.

Nem todos eram pegos de surpresa. Alguns compreendiam no último momento o que lhes sucederia. Ramos percebia que sentiam a iminência da morte. Feito bichos. Bois e vacas sentem o cheiro da morte quando ingressam no brete, ele bem sabia. Cheiro do sangue vertido, talvez. Eles, seus bois, pressentiam o fim no instante derradeiro. Interessante. Mesmo assim, ninguém nunca teve tempo de reagir. A rapidez era seu principal trunfo.

Precisava tirar o machado do crânio de Duarte. Pôs-se ereto. Pisou no pescoço e no queixo do outro, sujando de sangue suas botinas de couro. Agarrou com firmeza o cabo de madeira. Com um puxão vigoroso, livrou o machado da testa fendida.

– Ufa...

Mãos à cintura, Ramos olhou para cima. Para o alçapão. Viu o rosto de Catarina num canto do quadrado de luz. Os olhares deles se encontraram. Flagrada, Catarina recolheu rapidamente a cabeça, um animal assustado. Ramos ouviu os passos dela correndo para o quarto, tropeçando nas cadeiras. Ela sabia o que aconteceria a seguir. Safada. Vadia.

– É hora... – murmurou para si mesmo, sentindo as virilhas coçarem de excitação. Em seguida, fitando o teto, urrou um urro medonho:
– É HORA!

Riu. Limpou as mãos no avental. Começou a subir os degraus de madeira do porão.

Lá em cima, Catarina encolheu-se num canto do quarto. Olhava fixamente para a porta. Rezava baixinho: "Deus, aquilo vai acontecer de novo comigo... Deus, aquilo vai acontecer de novo comigo...". Os passos de Ramos ecoavam pela casa. Cada vez mais perto. Catarina tinha as mãos unidas, os braços em volta dos joelhos. Repetia, mais alto: "Deus, ele quer fazer aquilo comigo! Não deixa, por favor!". Cada vez mais perto. "Não deixa, não deixa."

Mais perto.

Ramos assomou à porta do quarto. Ofegava. Os olhos injetados queriam saltar das órbitas. Catarina reconhecia aquele olhar. Sabia o que significava. Sabia o que iria lhe acontecer.

– Não, Ramos! Por favor, não! – implorou.

Ramos deu dois passos na direção dela. Sorriu um sorriso malévolo. Um sorriso que ela reconhecia desde muito cedo em sua vida.

– Não, Ramos! Não! Por favor! De novo, não!

Ramos ria. Gargalhava. Aproximou-se mais, o sangue ainda fresco no avental branco. Catarina ajoelhou-se, desesperada, as mãos postas. Gritava. Implorava:

– Não, não, não, não, por favor!

E, quando ele já estava sobre ela, um berro rouco lhe rasgou a garganta:

– Nããããããão!!!

3. "Odisseia Campeira"

"Os mais valiosos bens de um homem de bem são seus amigos."

O bordão preferido do sapateiro Walter Scherer. Vivia a agradecer ao Destino, à Sorte, a Deus ou ao mero Acaso por ter sido agraciado com amigos leais. Irmãos, até. Os dois principais, os seus vizinhos Brasiliano Calovi, anspeçada folgazão que morava na rua da Varginha, e Manoel Antunes, próspero padeiro português da rua da Figueira. Viam-se sempre. Ajudavam-se mutuamente.

Brasiliano viera da fronteira com o Uruguai. Nascera no Alegrete. Do que muito se orgulhava. Quando encontrava alguém que também se dizia da cidade, perguntava, uma sobrancelha arqueada, cofiando os bigodões:

– Mas tu és do Alegrete mesmo ou estás te exibindo?

Filho de um capataz de uma das grandes estâncias da região, acostumado à lida do campo, Brasiliano gostava de contar o quanto era virtuose na doma.

– Pegava touro à unha – gabava-se para os amigos.

Nunca havia pensado em se apartar da Campanha. Gostava daquela vida. De tomar mate no galpão com os outros peões. De contar causos ao entardecer. Gostava de sentir o frescor da madrugada batendo em seu rosto, quando saía a galope, tocando o gado, assistindo ao sol nascer detrás de uma coxilha. Mas Brasiliano enfrentou uma dificuldade que terminou por afastá-lo do seu amado Alegrete. Uma dificuldade de cabelos castanhos e olhos verdes chamada Henriqueta.

Brasiliano amava as mulheres. Era célebre entre as chinas do bordel da cidade, o Palácio do Prazer. Célebre por seu bom humor, por sua generosidade com as meninas e por seus dotes físicos. As rameiras mais experientes juravam jamais ter deparado com homem tão bem instrumentado quanto Brasiliano. Algumas fugiam dele, traumatizadas, causando indignação à proprietária do chinaredo, a famosa Esmeralda, espanhola de tamanha beleza na juventude que, diziam, motivara meia dúzia de mortes, metade delas por suicídio, a outra metade por duelo. Uma noite, Esmeralda resolveu:

– Vou esclarecer eu mesma essa história.

Assim que Brasiliano fincou o bico da bota canhota em sua casa, ela o puxou para o quarto, arrostando:

– Não tenho medo de homem.

Saiu de lá uma hora depois, com os olhos arregalados e a boca carmim muito aberta, balbuciando a frase depois tornada famosa na cidade:

– É um cavalo... É um cavalo...

Donde Brasiliano ficou conhecido no Alegrete como Brasiliano Cavalo, fama que não o desagradava, em absoluto.

Tudo ia bem para Brasiliano Cavalo, até Henriqueta chegar. Era filha do patrão da estância. Brasiliano, cinco anos mais velho do que ela, vira-a nascer. Quando crianças, brincavam juntos na sede da fazenda. Mas, aos treze anos, Henriqueta mudara-se com a mãe para Porto Alegre – a mãe ia fazer tratamento de saúde, diziam à boca pequena que estava tísica, pobrezinha.

A Henriqueta que se despedira do moço Brasiliano era uma meninota magricela, as perninhas finas que pareciam braços, os braços dois gravetinhos quebradiços que pareciam dedos, o peito liso feito tábua de bater bife.

A Henriqueta que voltara dois anos depois era uma morena de pele macia, cabelos longos, pernas torneadas, seios em flor. Brasiliano perdeu a respiração ao vê-la descer da caleça, em frente à sede da fazenda.

– Ave-maria, mas ela voltou recheada! – gemeu, amassando o chapéu de barbicacho entre as mãos fortes.

Desejou-a de pronto. Ao cumprimentá-lo com um quente aperto de mão, Henriqueta sorriu, e seu sorriso não era de menina. Brasiliano passou a sonhar com ela todas as noites. Vez em quando, se cruzavam na fazenda. Ela lhe assestava um olhar d'água meio de viés, coruscante de promessas. Brasiliano mal conseguia se conter. O flerte mudo prosseguiu durante semanas. Uma tarde, quando se encontraram por acaso numa capoeira distante da sede, Brasiliano sabia exatamente o que fazer. Não falou nada, não emitiu um som. Apenas apeou do cavalo e estendeu a mão para ela. Ela apeou também e, ao pousar o pequeno pé no verde da grama, recebeu o primeiro beijo. Não ofereceu a menor resistência. Só quinze anos de idade, e já conhecia os caminhos do coração de um homem. Instinto de bicho, concluiu Brasiliano. Elas são uns bichinhos, entendem as coisas por intuição. Nascem sabendo.

Amaram-se ali mesmo, à sombra de um umbu mais frondoso.

Brasiliano e Henriqueta continuaram se encontrando nos dias seguintes. E eram encontros sôfregos e silenciosos. Até que, num avermelhado fim de tarde de primavera, uma escrava que trabalhava na cozinha os flagrou. Já tinham perdido um tanto do medo de serem pegos e, sem o medo, perderam a prudência. Estavam atrás de um dos galpões. Num retouço de sair faísca, como definiu Brasiliano aos amigos, mais tarde. A escrava os viu sem que eles a vissem. Foi correndo contar para o patrão, ansiando por gratidão ou recompensa. Em minutos, o patrão armou-se de um facão três listras, convocou dois peões e correu para o galpão. Para sorte de Brasiliano, ele já havia se despedido de Henriqueta e estava a uma distância de onde pôde ver a chegada intempestiva do trio. Percebeu que fora descoberto. Montou no seu cavalo, um tordilho que ele próprio domara meses atrás, e se foi a galope para fora da estância, para fora do Alegrete, cavalgando sempre e sempre, até achar que podia se encostar num tronco de árvore, tirar um cochilo, dar água para o tordilho. Sabia que estavam atrás dele e que o patrão não descansaria enquanto não o matasse. Ou, pior: o castrasse com um facão sem fio, cruzcredo, ele conhecia histórias de capados no Alegrete, histórias de branquear os fios do bigode. Cavalgou para o norte, muito sestroso, evitando qualquer contato humano, comendo o que caçava no mato, bebendo de sanga ou de rio. Em algumas semanas, chegou à região das Missões. Só então se animou a entrar numa cidade, a antiga Vila de Santa Fé, elevada naquele ano à cabeça da comarca de São Borja. Em Santa Fé, achou trabalho e pouso no sobrado de um certo Aguinaldo Silva, nordestino empreendedor, homem de mais de setenta anos, mas ainda forte a ponto de não refugar uma boa campereada, mesmo que tivesse de dormir ao relento com a peonada. Seu Aguinaldo usava bombachas e poncho, mas, sobre a cabeça triangular, levava um chapéu de sertanejo com as abas viradas para cima, algo que Brasiliano achou realmente curioso. O velho era avô de uma bela moça de nome Luzia, pela qual Brasiliano se interessou ao primeiro olhar. Luzia havia sido criada em Porto Alegre, tocava cítara, lia livros, cultivava maneiras tão despachadas quanto sua Henriqueta. Brasiliano cogitou de se aproximar de Luzia, mas mudou de ideia ao ouvir algumas histórias relacionadas a ela. Em primeiro lugar, a moça vinha sendo frequentada por dois primos irmãos muito conhecidos em Santa Fé. Um deles, o tenente Bolívar Cambará, herói da guerra contra a Argentina, filho de um outro soldado famoso na região. O outro, Florêncio Terra, um rapaz introvertido, caladão, por quem Brasiliano logo se tomou de simpatia. Os dois visitavam constantemente o sobrado, cortejavam a coquete Luzia e acabaram se transformando em alvo de apostas na cidade. A população inteira de Santa Fé discutia quem, afinal, iria casar com a neta do pernambucano.

Tem macho demais atrás dessa prenda, concluiu Brasiliano, pouco disposto a se converter em vértice de um losango amoroso. Mas só tomou a resolução de partir da vila quando conheceu detalhes da vida pregressa de Aguinaldo Silva.

Os bem-informados moradores de Santa Fé comentavam que, nas lonjuras de Pernambuco, Aguinaldo havia sido vítima de adultério. Pois bem. Ao se descobrir portador de cornos, ele armou uma emboscada para a mulher e o amante. Traçou a estratégia clássica e sempre eficiente empregada por chifrudos em todo o planeta: fingiu sair em viagem, deu oportunidade de pecado aos pecadores. Sem que a esposa percebesse, voltou para casa e se escondeu debaixo da cama, artifício algo humilhante, é verdade, mas bastante funcional. Os dois estavam em pleno desfrute quando o marido traído saltou do esconderijo, de peixeira em punho. O sedutor não achou tempo de gritar, ai Jesus. Teve a buchada aberta de um talho. A mulher também foi feita em pedaços, sem piedade.

Brasiliano franziu o cenho ao ouvir a história. Muita violência, para seu gosto. Decidiu partir. Mas para onde? Pensou em Luzia, pensou em Henriqueta: ambas tinham sido moldadas pelos ares de Porto Alegre. Saíram do campo caboclas, voltaram fêmeas. Uma cidade que produzia mulheres assim era uma cidade feita para ele. Juntou os cobres ganhos com o nordestino Aguinaldo, montou em seu tordilho e partiu. Cavalgava ainda pela cidade quando notou que o seguia um dos cães do dono do sobrado, um filhote do qual ele cuidara com gosto nas últimas semanas. Gostava de cães e por aquele havia se afeiçoado especialmente, nem sabia bem por quê. Enxotou o filhote umas três ou quatro vezes, mas o cusco estava determinado a adotá-lo. Deu de ombros.

– Paciência – conformou-se. E, de improviso, batizou o bicho com o nome de um de seus amigos do Alegrete: – Então vamos embora, Januário!

Avançou lentamente pela província, parando aqui e acolá, amealhando uns trocos em cada estância onde podia usar sua habilidade na doma, colecionando histórias com as quais depois iria deliciar os amigos. O sapateiro Walter chamava esse período da vida de Brasiliano de "Odisseia Campeira".

Ao cabo de dois meses, Brasiliano avistou Nossa Senhora da Madre de Deus de Porto Alegre pela primeira vez. À entrada da cidade, do alto de uma colina, ele sofreou o tordilho. Januário parou ao lado, língua de fora, olhando para o dono. Brasiliano sorriu, admirando o grande ajuntamento urbano. Perto de vinte mil almas se movimentavam pela capital, subiam e desciam suas ladeiras, alguns montados em cavalos, outros em carroças. Havia muita movimentação no porto, barcos que navegavam pelo largo rio que banhava a cidade, e, mesmo ao longe, como ele estava, podia avistar prédios imponentes, provavelmente de até quatro andares.

– Sinto que teremos sorte nessa terra, Januário! – gritou ele, olhando para baixo. O cachorro latiu como que numa resposta afirmativa.

Em Porto Alegre, Brasiliano logo encontrou trabalho no quartel e muita diversão nas bodegas e prostíbulos que pululavam por toda parte. Alugou uma casinha de telhado de capim numa rua um pouco afastada da área central. Nas imediações, conheceu o sapateiro Walter e o padeiro Antunes. Tornaram-se os melhores amigos. Em alguns anos, converteram-se em sua família. Apesar de Antunes já ter sua própria família, a mulher Rosa e dois filhos gordotes como ele. Antunes falava com sotaque português, usava uma barba rala e jurava ser descendente dos açorianos que haviam fundado Porto Alegre cento e poucos anos atrás.

Glutão assumido, Antunes entusiasmava-se quando conseguia cozinhar um novo tipo de pão ou uma cuca com recheio um pouco mais sofisticado. Seu grande orgulho era o fato de que, aos vinte anos de idade, passara uma temporada na Corte. No Rio, aprendera o ofício de padeiro com a comunidade portuguesa local. Mais: assimilara truques gastronômicos que empregava vez ou outra nos jantares que preparava para os amigos. Walter e Brasiliano olhavam desconfiados para os pratos que Antunes trazia risonho do fogão a lenha, mas o gordo padeiro jurava que era aquilo que se comia no Rio de Janeiro. Servia-os recitando a receita:

– Agora, meus amigos, uma delícia da corte do imperador Dom Pedro II: ganso ensopado com samambaias! – e, enquanto distribuía as porções, dançando em volta da mesa, discorria, para divertimento de Walter e Brasiliano e irritação da mulher, Rosa, que detestava tais extravagâncias:

– Tome pedaços do ganso. Passe-os em gordura quente e cozinhe-os, acrescentando uma garrafa d'água, sal, pimenta, uma cebola, salsa e manjerona. Estando quase cozidos, deite no caldo uma porção de brotos de samambaia bem lavadinhos e, depois de duas fervuras, ponha tudo numa travessa de pão ralado. Deposite com carinho os pedaços de ganso por cima, derramando sobre eles uma porção de manteiga, na qual você deve ter fritado uma cebola picadinha. E está pronto, para vosso deleite e da família imperial!

Os jantares ocorriam pelo menos uma vez por mês. Antunes preparava-os durante dias, sempre sob o olhar crítico da mulher Rosa:

– Você gosta de gastar com asneiras – recriminava ela.

Mas nisso Antunes não permitia que Rosa se intrometesse. Abstraía-se dos resmungos da mulher e mergulhava no criterioso planejamento dos jantares, antegozando a surpresa dos amigos diante dos pratos cariocas tão exóticos ao conservador paladar sulista. Uma semana antes, já estava à mesa da cozinha, anotando os ingredientes dos quais necessitaria, perguntando-se onde encontraria cajus para fazer uma sopa substanciosa ou araras para assá-las no espeto.

– Acepipes da Corte! – apregoava, dedo em riste. – Manjares de fidalgos! A verdadeira substância do sangue azul!

Esses encontros eram sua realização, praticamente sua única diversão, ele que, ao contrário de Brasiliano, se constituía num homem caseiro, dedicado à família.

O sapateiro Walter se situava a uma espécie de meio caminho entre Antunes e Brasiliano, pelo menos no quesito vida social. Não era um frequentador de bordéis, como Brasiliano, nem um ser exclusivamente familiar, como Antunes. Apreciava as peças que eram levadas ao Theatro São Pedro, prédio imponente que se erguia na praça da Matriz. Tão imponente que o povo o chamava de "O Marmanjo". Não recusava os raros convites que lhe chegavam para os bailes da cidade. E, sobretudo, gostava de ler. Orgulhava-se de ter adquirido alguma cultura numa província em que a maioria da população era analfabeta. O hábito da leitura vinha da família. O pai havia sido professor na Alemanha. Exigia que o filho conhecesse os clássicos, que aprendesse os meandros da língua deste jovem país onde agora viviam e prosperavam. Assim, Walter cresceu valorizando o intelecto. Em tudo, tentava ser racional.

– O século 19 é o século das luzes – era outra de suas máximas.

Das luzes, de fato. Só que Walter nem sempre conseguia se portar como o cartesiano impecável que imaginava ser. Amiúde, permitia que os sentimentos pautassem suas decisões. Além de ser um eterno condescendente com os amigos, que tudo lhe tomariam, se quisessem, foi devido a outro tipo de sentimento, o amor por uma mulher, que Walter mudou de casa, de cidade e de vida.

Desde sempre residira em Hamburgo Velho. Lá, aprendera o ofício de sapateiro, profissão adotada por seu pai no Brasil. Ajudara o pai na sapataria durante a adolescência e por boa parte da infância. Aos 21 anos, casara-se com Maria Augusta, sua amiga desde os tempos de menino e, como ele, descendente dos imigrantes alemães que se estabeleceram em terras do visconde de São Leopoldo, na década de 20. Amava-a profundamente. Viviam numa casa pequena, porta e duas janelas, horta nos fundos, tudo muito simples, mas que lhes dava orgulho – era a casa deles, seu refúgio. Tentaram ter filhos por dois anos. Quando ela finalmente engravidou, Walter convidou os amigos para um copioso churrasco de comemoração. Jamais se sentira tão feliz.

Nove meses depois, Maria Augusta e a criança, uma menina, como ele tanto queria, morreram no parto. Não chegou a ser uma surpresa.

Em toda parte, no Brasil oitocentista, as mulheres morriam de parto. Era comum. Era até esperado. Mas isso não serviu de consolo a Walter.

A tristeza tomou conta de sua vida. Uma tristeza que doía fisicamente, numa região de palmo e meio que subia do centro do peito ao centro da garganta. Walter sonhava todas as noites com ela. Ao acordar, seu primeiro pensamento era para ela. Passava o dia girando em torno das coisas dela, lembrando-se dela, olhando para as flores do jardim que ela cultivava, para o bule em que ela fazia o café, para a cadeira em que se sentava, para todas as pequenas coisas que eles tinham em comum. Walter olhava e sofria. Até o dia em que decidiu parar de sofrer.

Mudou-se para Porto Alegre. Estabeleceu-se na rua do Arvoredo. Comprou móveis novos, roupas novas, plantou flores novas no jardim. Não queria mais ter contato com nada que lembrasse sua vida em Hamburgo Velho. Queria uma nova vida.

Walter construiu essa nova vida. Interessava-se pela cidade, uma Porto Alegre que recebia novos investimentos da Coroa, agora que o país caminhava quase que irremediavelmente para uma guerra com o poderoso Paraguai de Francisco Solano Lopes. Uma guerra insana, Walter bem o sabia. Porque estava informado sobre a força do Paraguai e sobre o parecer do mais afamado militar brasileiro a respeito da questão. O valente general de exército Luís Alves de Lima e Silva aconselhou o imperador a tentar um acordo com o Paraguai, sentenciando, sem hesitar:

– Lopes é invencível.

Mas o conselho não foi ouvido. A guerra se aproximava de forma inexorável, e a província de São Pedro, bem como sua capital, assumiam importância estratégica no conflito. Assim, Porto Alegre passou a receber atenção da corte. Passou a crescer. A tornar-se, realmente, uma cidade. Foi em Porto Alegre que Walter conheceu Brasiliano e Antunes, seus grandes amigos.

– Os mais valiosos bens de um homem de bem! – repetia, para alegria dos companheiros.

Walter passava os dias debatendo com Brasiliano e Antunes as novidades que surgiam no Rio de Janeiro e em Paris, a guerra civil que devastava os Estados Unidos, os conflitos com o Uruguai e o Paraguai, a possibilidade de a Presidência da Província finalmente instaurar na capital o transporte coletivo com os modernos bondes puxados a burro.

Quanto às mulheres, Walter se manteve reservado. Durante quatro anos, viveu apartado delas. Não que não fosse atraente. Seu tipo longilíneo, seus olhos amarelos, seu ar distante provocavam desde as damas que iam ao São Pedro para ouvir concertos de flauta e cítara até as que iam à Bailante, a casa de diversões ali pertinho do teatro, onde se dançavam polcas e mazurcas. Elas o achavam misterioso. Mas nenhuma mulher o atraía. Nenhuma.

Até conhecer Catarina Palse, sentir seu cheiro, encantar-se com seus olhos verdes e sua pele macia, de leite. Que mulher! A mulher mais enigmática de todas as que conheceu.

Havia seis meses que Walter só pensava nela. Catarina era sua vizinha. Walter a via andar pela rua do Arvoredo todos os dias. Ela comprava mantimentos na venda, subia a ladeira para ir à missa na Matriz, negociava com os mascates que batiam no portão. Também ia à sapataria. Levava cintos, bolsas, sapatos para consertar. Walter e Catarina conversavam cordialmente, como bons vizinhos. Vez em quando, sentia que ela não lhe era indiferente. Vez em quando, a loira parecia se aproximar um pouco mais dele, lançava-lhe um olhar aquoso um tanto mais demorado, sorria-lhe com maior meiguice. Walter, então, sonhava...

Mas era casada. Quer dizer: a mulher errada. Só que, cada vez que olhava para o brutamontes do marido dela, as esperanças se renovavam no peito de Walter. Não era possível que Catarina amasse aquele homem, um açougueiro embrutecido. Verdade que Ramos era um tipo paradoxal: tinha aparência de troglodita, mas, frequentemente, portava-se feito um daqueles famosos dândis de Londres. Perfumava-se com abundância, o monstro. Está certo, a população inteira de Porto Alegre, com exceção dos escravos, tinha o hábito de se perfumar, numa artimanha para sufocar a pestilência natural da cidade e o mau cheiro dos próprios habitantes, pouco afeitos a banhos. Sim, está certo. Mas Ramos exagerava. Quando passava na frente da sapataria, a cinco ou seis metros de distância, mesmo que Walter não pudesse vê-lo, sentia o forte, às vezes nauseante, odor de patchuli. Também não era sempre que o açougueiro se banhava de perfume daquela forma. Acontecia sobretudo nos dias em que ele se enfarpelava e saía ao entardecer, camisa de seda, sobrecasaca, alfinete na gravata, botinas enceradas. Sabe-se lá para onde ia. Um tipo misterioso. Walter duvidava que Catarina o amasse. Ao contrário: sentia que ela, antes de mais nada, o temia. Dia a dia, se convencia de que devia tentar conquistar Catarina. Que devia, no mínimo, se arriscar. Aos poucos, foi o que decidiu: que ia tentar.

4. “Era a casa dos assassinos”

O sapateiro Walter sabia que a casa em que seus vizinhos Ramos e Catarina moravam era amaldiçoada. Ali, no número 27 da rua do Arvoredo, o português Manoel José Tavares havia sido assassinado, dez invernos atrás – o primeiro latrocínio da história de Porto Alegre, prova irrefutável de que a cidade começava a crescer.

Tavares, a primeira vítima, era comerciante. Havia sido atraído para a casa da rua do Arvoredo sob o pretexto de que seu morador de então, um certo sargento Félix de Oliveira, tinha um belo canapé de palha para vender. Um engodo – o sargento pretendia simplesmente roubar o comerciante.

Tavares encontrou Félix de Oliveira na rua da Praia, e, de lá, eles rumaram para a parte baixa da cidade a fim de concluir o negócio. Entraram juntos na casa, onde o cúmplice do sargento, o ex-soldado Domingos José, esperava. Mal cruzou a soleira da porta, Tavares se deu conta da emboscada. Tentou fugir. Não conseguiu. Félix e Domingos lhe saltaram sobre o cangote. Houve luta, o comerciante resistiu, mas os atacantes eram mais fortes. Dominaram-no e o retalharam a facão. Em seguida, enfiaram o corpo em sacos de aniagem e, à noite, o levaram de carroça até as margens do Guaíba. Jogaram-no nas águas barrentas do rio.

O sumiço do comerciante agitou a colônia portuguesa. Grassava uma luta nem tão surda assim entre as diversas etnias da cidade. Os portugueses da elite olhavam com desconfiança para os colonos alemães que, quarenta anos antes, tinham se estabelecido no vale do rio dos Sinos e de lá se espalhado para outras regiões, inclusive para a distante Torres, no litoral norte. Educados sob a ética da escravidão, os lusos desprezavam os imigrantes que se punham eles próprios a empreender trabalhos braçais, a lavrar a terra, a levantar suas casas, a consertar suas próprias roupas. "Negros de cabelo loiro", desdenhavam os fidalgos descendentes de Camões.

O ódio aos imigrantes alemães perdurou por décadas. Acentuou-se com a chamada Questão Christie, em 1861. Sucedeu que, nesse ano, o navio inglês *Prince of Wales* naufragou em Albardão, localidade ao sul da cidade de Rio Grande. Com o litoral em forma de rampa, traiçoeiros bancos de areia, e fortes ventos que empurram as embarcações para a praia, Albardão é um cemitério de navios. A maioria dos barcos acaba com o leme emperrado nos bancos de areia e, aí, o naufrágio é inevitável. Mas existia também a ação dos chamados piratas de terra, que, à noite, faziam sinais de luzes para atrair os navios e fazê-los encalhar, saqueando-os logo depois. Provavelmente foi o que aconteceu com o *Prince of Wales*. O barco inglês encalhou, foi pilhado, e seus dezesseis tripulantes, assassinados. Ao saber do ocorrido, o cônsul inglês que residia em Rio Grande se tocou de carroça para Albardão. Encontrou os corpos do capitão, da esposa e dos dois filhos na praia. Os demais haviam desaparecido.

O incidente era gravíssimo. A Inglaterra se constituía na grande potência do planeta. Sua poderosa marinha amedrontava o mundo todo. Era tamanho o predomínio bretão que havia sido instaurado um tribunal inglês no Rio de Janeiro, para que os súditos da rainha Vitória não se vissem submetidos ao constrangimento de serem julgados pelos pouco confiáveis magistrados brasileiros. Mesmo que cometessem os maiores desatinos no Brasil, os cidadãos britânicos não podiam ser detidos por força policial brasileira.

Em Albardão, dezesseis ingleses tinham sido mortos.

Furioso dentro de suas polainas, o embaixador inglês, Willian Christie, foi queixar-se ao imperador Dom Pedro II. Acusou os brasileiros de assassinato e pirataria. Exigiu um pedido de desculpas formal do governo brasileiro e indenização pela carga roubada. O imperador respondeu o seguinte:

– Não.

Um escândalo. Ninguém dizia não à Grã-Bretanha, o império onde o sol jamais se punha. Willian Christie continuou insistindo, e o imperador continuou dizendo:

– Não.

Christie pediu auxílio à própria rainha. Ela foi ter com o imperador. Protestou, exigiu as tais desculpas, reivindicou a indenização, e o imperador, detrás de sua barba veneranda:

– Não.

O incidente estava prestes a se transformar em guerra quando a rainha propôs que uma nação supostamente imparcial, a Bélgica, arbitrasse a questão. Um detalhe: o rei da Bélgica era tio da rainha. Prevendo que ia ser derrotado, o imperador pagou a indenização. Mas o rei da Bélgica, surpreendentemente, deu ganho de causa ao Brasil. Vitorioso, Dom Pedro disse que esperava um pedido de desculpas dos ingleses e seu dinheiro de volta. Não levou nem um, nem outro, mas ficou com a fama de ter sido o único, naquele tempo, a ter enfrentado com algum sucesso o poderio inglês. Uma vitória moral.

Esse caso virou obsessão nacional e mais ainda na Província de São Pedro, palco dos acontecimentos. Eis que, em 1863, um jornal alemão impresso em Porto Alegre, o *Deutsche Zeitung*, publicou um artigo dando razão aos ingleses e acusando os brasileiros de assassinos e saqueadores de navios. Era demais para os brios patrióticos da população da capital. Os brasileiros se reuniram na praça da Alfândega, armaram-se de picaretas, pedaços de pau e facões e marcharam ruidosamente para a rua da Praia, onde ficava a sede do temerário jornal alemão. Gritavam, ensandecidos, fazendo as moças e suas sombrinhas sumirem nas portas das lojas:

– Morram os alemães! Morram os alemães!

A polícia impediu o empastelamento do

jornal, mas não amainou a fúria ufanista brasileira. À noite, a quadra entre a rua do Rosário, a rua Santa Catarina e a rua da Praia foi fechada pelos manifestantes. Os alemães se acantonaram em uma sociedade beneficente na rua Santa Catarina, trêmulos, armados de facas e alguns poucos revólveres. A polícia tentava apaziguar os revoltosos. De repente, surgiu a notícia de que os colonos alemães de São Leopoldo estavam marchando para Porto Alegre, a fim de defender seus compatriotas. Como prevenção, o governo postou um contingente da Guarda Nacional na boca do rio Gravataí, tentando proteger a cidade. Os alemães de São Leopoldo, porém, não se puseram em marcha, e a malta acabou dispersa das ruas centrais da capital. Alarmado, o presidente da Província, Esperidião Pimentel, entrou em cena. Convocou os editores do jornal para prestarem esclarecimentos no palácio. Eles foram, temerosos. Não sem razão. À saída do depoimento, foram agredidos por populares, que os esperavam na praça da Matriz.

Isso na década de 1860. Mas bem antes, desde os anos 20, quando da chegada dos imigrantes, o preconceito racial vicejava na província. Brasileiros contra alemães, brasileiros contra portugueses, alemães contra brasileiros, portugueses contra alemães. Os alemães se acoitavam em suas próprias colônias, não falavam português nem tentavam aprender. Viviam em seu mundo particular, com seus jornais, seus cultos protestantes, sua pequena Alemanha tropical e selvagem.

Os brasileiros propriamente ditos eram malvistos por todos. Eles, por sua vez, também não simpatizavam com ninguém. Mas quem mais sofria eram os negros, fossem eles escravos, libertos ou fugidos. Tratados como animais, vivendo como animais em seus casebres na colônia africana, escondidos nos campos da Várzea, nas ilhas do Guaíba ou montando campanas nos matos de Emboscadas.

Quando o português Tavares desapareceu, em 1854, a suspeita logo pairou sobre as cabeças carapinhadas dos negros, de lá voou para as amarelas dos alemães e ficou oscilando de um lado para outro, ao sabor da conveniência racial de quem comentava o caso.

Passados alguns dias, o cadáver, inchado e disforme, meio comido pelos peixes, foi descoberto na curva do Riachinho, onde, poucos anos antes, os escravos haviam construído a ponte de Pedra, travessia que revolucionou o sistema viário da capital: serviu para unir o Norte e o Sul da cidade e para dar passagem a ninguém menos do que o imperador Dom Pedro II e sua comitiva, quando em visita à província.

A comunidade portuguesa continuou pressionando, unida, forte, insistente e, sobretudo, indignada. Instada pelo consulado português, a polícia trabalhou com diligência e logo descobriu os culpados. Foram presos, julgados e condenados à morte. Um ano depois, Félix e Domingos ouviram sua última missa na igreja Senhor dos Passos, na

Santa Casa de Misericórdia. Em seguida, se viram conduzidos de mãos fortemente atadas rua da Praia abaixo. Um cortejo de populares os seguia, ansioso e expectante. Pararam diante da imponente escadaria da igreja das Dores. Caminharam mais alguns metros à frente, até o largo da Forca, onde se erguia o patíbulo. Ali, foram enforcados até a morte, tendo como última visão a cruz da torre da igreja das Dores.

Todos esses acontecimentos tornavam maldita a casa número 27. Era a casa dos assassinos. A casa dos enforcados. Muitos na cidade sabiam disso. Um deles, Walter. Mas o sapateiro não era supersticioso. Antes, acreditava no futuro iluminado pela razão. Além disso, a atração que sentia pela bela moradora de olhos verdes da casa era mais forte do que qualquer temor. O coração de Walter se comprimia no peito cada vez que ela passava diante da sapataria. Admirava-a em silêncio. Pensava nela. Sonhava com ela. Cogitava: e se declarasse o seu amor? O que ela faria se ele declarasse o seu amor? Lentamente, a ideia foi se cristalizando em sua cabeça. Uma abordagem franca poderia dar certo, por que não? Antes, porém, pretendia entender um pouco mais do que se passava na casa da rua do Arvoredo.

5. "Pode ser fascinante, mas é perigosa"

Os gritos.

Walter se torturava com os gritos que ouvia durante algumas noites, na rua do Arvoredo. Gritos desesperados, arrepiando os moradores ao derredor, homiziados em suas casas parcamente iluminadas à luz de velas ou de lampiões precários, olhando para o alto, para o teto, para a rua, de onde vinham os lamentos horríveis. No começo, ele achou que a mulher que gritava vivia na casa em frente. Com o passar do tempo, se convenceu: partiam da casa maldita, ao lado da sua.

Batia uma meia-sola e pensava ora em Catarina, ora nos gritos. A profissão de sapateiro facilitava a atividade intelectual. Era um trabalho que não exigia concentração absoluta. Como lavar a louça ou varrer a casa – as mãos e a mente funcionavam ao mesmo tempo, cada qual em um caminho diferente. Vez em quando, ele se interrompia. Sorvia um mate que deixara apoiado no descanso ao seu lado. Olhava para a rua. E pensava e pensava. Havia lido em alguma parte: "O mate ajuda o gaúcho a pensar". Ajuda, de fato.

Os gritos. Seriam mesmo de Catarina? Ou de alguma escrava enlouquecida? Se fossem de

Catarina, por que, afinal, gritava? O que Ramos fazia com ela? Pois só podia ser algo feito por Ramos, o açougueiro gigante. Qual seria sua altura? Um e noventa. Talvez mais. Um monstro. Tinha aparência de truculento. Walter detestava-o. Ao mesmo tempo, o invejava. Como conseguira conquistar uma beldade frágil de ombros macios e cabelo dourado como Catarina?

Ainda balançava a cabeça, irresignado, quando o padeiro Manoel Antunes entrou na sapataria. Gordinho, baixote, um metro e sessenta de altura, não mais, Antunes era um bom interlocutor e um bom amigo. Ele e Walter se interessavam pelos mesmos assuntos, passavam horas conversando, mas as visitas matutinas do padeiro tinham um inconveniente, sobretudo antes das dez horas. Uma visita de Antunes antes das dez da manhã significava que ele iria lhe contar um sonho, e Walter odiava ouvir histórias de sonhos. "Eu estava lá, mas não estava. Era eu e não era ao mesmo tempo. Aí chegou alguém que eu sabia que era meu pai, mas a cara não era do meu pai." Essas coisas. Walter ficava mortalmente enfarado ao ouvir as histórias dos sonhos de Antunes. Tinha ganas de engolir todas as meias-solas da prateleira. Mas precisava resistir – amigo é pra essas coisas, também, e os bens mais valiosos de um homem de bem... Enfim.

Ao ver Antunes invadir a sapataria todo contente, Walter se preparou para ouvir mais um longo relato a respeito de quedas vagarosas e corredores sem fim. Só que o padeiro o surpreendeu. Chegou perguntando:

– Você ouviu os gritos essa noite?

Walter o encarou, admirado. Antunes parecia ter lido seu pensamento. Já haviam falado a respeito dos gritos outras vezes. Numa delas, Walter dissera que suas suspeitas recaíam sobre Catarina. Depois se arrependeu. Sentia como se a tivesse traído. E se não fosse ela quem gritava? Além do mais, sabe-se lá as razões que ela tinha para gritar. Não, não devia ter falado dela. Até porque Antunes não simpatizava com as alemãs. Volta e meia, o padeiro repetia sua tese acerca dos efeitos da imigração germânica no país.

– Sei que você mesmo é alemão, que sua mãe era alemã, que sua mulher era alemã, Walter. Mas vocês são diferentes. Sua mulher com certeza era diferente. A maioria das alemãs é pérfida. É perigosa! Desconfio delas. Desconfie delas também, Walter. Essas loiras vão transformar a província numa terra de cornos irremediáveis! – previa, condoreiro, dedo em riste, enquanto Walter sorria, condescendente. – Uma terra de cornos, escute o que digo! Essa Catarina é dessa laia. Pode ser linda, pode ser fascinante, mas é perigosa. Ela não é como as alemãs da sua família. Ela é uma dessas alemãs do Mal, que estão infestando a província.

Mesmo assim, Antunes admitia que Catarina era bela e misteriosa como nenhuma outra mulher que já vira. O que incentivava Walter a elogiá-la para o amigo, embora nunca tivesse admitido sua paixão recôndita. Apenas observava que talvez ela fosse uma alemã diferente das outras. Uma alemã do Bem. Talvez.

– Ouvi – respondeu Walter. – É a terceira vez, neste mês.

– Quarta, eu contei. Jesus, são tão altos que escuto lá da rua da Figueira. Jesus! Será que são dela?

"Dela." Que intimidade era aquela? Para Antunes, "dona Catarina", com muito respeito!

– Dela?

– A Catarina. "A Catarina". Dona Catarina, por favor! Dona!

– Não sei...

– Acho que são. Mas pode ser uma escrava sendo castigada. Ouvi dizer que o açougueiro Ramos é muito duro com a criadagem. Parece com o sonho que tive ontem. Foi um sonho estranho. Eu estava na praça da Alfândega...

Walter suspirou. Nos minutos seguintes, passou fazendo anrans, sentindo a chateação entrar por seus ouvidos, espalhar-se por seu corpo, amolecer-lhe os ossos. Estava entediado. Muito entediado. Por que Antunes fazia aquilo com ele? A vida já era tão complicada... Walter olhava para os saltos e para as botinas, olhava para a bela manhã lá fora, onde as pessoas passeavam em liberdade, e suspirava. Sua visão já ficara turva, tamanha a chatice do assunto. Talvez por isso não tenha notado a figura esguia que se aproximava da sapataria, egressa de um canto da calçada.

Catarina.

6. "Era a sua hora"

Catarina entrou na sapataria levando um embrulho pardo nos dedos finos e um sorriso suave nos lábios carnudos. Walter estremeceu.

– Bom dia – disse ela, mas não foi um bom-dia normal, foi um bom-dia filigranado: booom diiiiiia...

Walter apertou com força o cabo do martelo.

– Bom dia – respondeu, a voz sumida.

Antunes abriu a boca, mas não conseguiu dizer nada. Walter sabia o que ia acontecer: o amigo começaria a gaguejar. Sempre que ficava nervoso, Antunes gaguejava, e a presença flamejante de Catarina certamente era motivo de nervosismo para qualquer homem, que dirá um tímido como Antunes. Walter suspeitava que a única mulher com quem ele tivera intimidade na vida era sua própria esposa, a sombria Rosa.

– Bo-bo-bo-bo... – começou Antunes.

Catarina abriu o pacote. Sapato de homem. Grande, enorme. Devia ser do maldito açougueiro.

– Gostaria de trocar a sola – informou ela, a voz arrepiando os cabelinhos das orelhas dos dois amigos.

– ...bo-bo-bo...

– Hmmm... – Walter avaliou o sapato, expressão de entendido. Era a sua hora. O seu terreno. A sua oportunidade. – Meia-sola basta –

sentenciou, soberano. E agora o arremate de generosidade: – Posso fazer um precinho bem baixo para a senhora.

– ...bo... boooo...

– O senhor é muito gentil – ela fez desabrochar um sorriso que coloriu a manhã de azul e amarelo.

Walter ficou radiante ao ouvir aquele elogio rápido.

– Ora... – respondeu, modesto, sentindo-se corar. – A senhora é que é uma pessoa especial.

– ...booommm...

– Especial? – ela parecia admirada. – Por quê?

E agora? Walter não estava preparado para aquela pergunta. O que diria? Que ela era especial por ser linda, porque a desejava, porque queria namorar, noivar, casar, ter filhos, envelhecer com ela? Não, não poderia dizer isso. Até por ela já ser casada. O que diria? Sentiu que uma gota de suor lhe rolava pela têmpora esquerda. Catarina continuava esperando a resposta, sorrindo.

– ...dia! – concluiu Antunes, vitorioso.

7. "Vinham todos à procura da linguiça especial"

Ramos suava com a lida. Arfava baixo. Empreendia o criterioso descarnamento do cadáver de Duarte. A primeira parte do trabalho, a mais afanosa, estava quase no fim. Ramos tornara-se perito na operação. Exercia-a com método e rapidez. Conhecia cada nervo mais duro, cada feixe longo ou curto de músculos humanos. Sabia onde cortar, onde perfurar, onde fazer uma incisão, onde haveria maior resistência ao cutelo, onde seria necessária uma faca serrilhada.

Trabalhava em silêncio concentrado, sentindo o suor a escorrer pelo peito largo, sem jamais parar. Já havia esquartejado o corpo, tendo o cuidado de separar cada junção. Quando se compreendia como o corpo humano era construído, ficava fácil. As partes se encaixavam. Ou se desencaixavam. Só se precisava ter cuidado para encontrar o local onde serrar, onde furar. Desossar também não era tão complicado, uma vez que se prestasse atenção na forma como os músculos se estendiam e nos pequenos ligamentos entre uma seção e outra.

Depois, Ramos teria de picar a carne bem picadinha, temperá-la e, finalmente, socá-la no saco feito com as próprias tripas do morto. Era a "linguiça especial", produto do açougue que fazia enorme sucesso na cidade.

Vinha gente de todas as classes, do clero, da administração municipal, vinha gente de longe, do Caminho do Meio, da Azenha, vinham todos à procura da linguiça especial feita por Ramos. Mesmo com o estoque regularmente reposto, às custas das andanças noturnas de Catarina, às vezes não havia linguiça que chegasse. Ramos se orgulhava do seu produto, de suas ações noturnas, do seu sucesso na comunidade e da riqueza que começava a amealhar.

Por isso, mourejava. Cortava um pernil em pequenos cubos e lembrava da noite anterior. Do prazer que sentira. Catarina. O horror nos olhos dela. Os gritos. Como era bom. Como havia demorado para descobrir tamanho prazer.

Catarina. Onde ela andaria agora? Não tinha total confiança nela. Uma mulher que fazia as coisas que ela fazia, que viveu o que ela viveu, que passou por tudo o que passou... Uma desavergonhada, isso sim. Uma mulher sem moral. Verdade, ele gostava de... de ver. O que ela fizera com o magricela na noite anterior, ah, Ramos tinha certeza plena e cabal de que o magricela jamais experimentara prazer semelhante na vida. Que mulher ele tinha! Uma fêmea de verdade. Uma fêmea sempre no cio e que, ao mesmo tempo, só se sentia viva com ele, quando ele fazia aquelas coisas... A primeira vez que assistira um homem possuindo-a, oh, Deus!, ele por pouco não havia enlouquecido de excitação. Mas se enfurecia só de cogitar a possibilidade de Catarina desenvolver um relacionamento com outro. Que não pensasse em ver algum homem por mais de uma noite! Um encontro sensual, um jantar suntuoso e o homem tragado pelo alçapão. Pronto. Nada mais.

Essas saídas dela à tarde o irritavam. Essas saídas não eram destinadas à caça. Ela certamente estaria falando com outros homens, falando sobre coisas que Ramos não poderia controlar. Aliás, o que estaria fazendo agora?

A sombra do ciúme escureceu os olhos duros de Ramos. Ficou a imaginá-la rindo para os vizinhos, rindo aquele riso doce, aquele riso que o escravizava. Atirou o avental ensanguentado no assoalho. Muniu-se de um facão. Começou a subir as escadas, decidido, subitamente raivoso.

– Vou achar essa rameira! – rosnou para si mesmo, entre dentes. – Ela vai ver o que é bom!

8. "Percebeu que Antunes ficou escandalizado"

Walter fitava o verde estonteante dos olhos de Catarina como se estivesse diante de uma espingarda de dois canos. Ela o encarava com um meio sorriso macio, esperando a explicação: por que, afinal, ele dissera que ela era especial?

Antunes, satisfeito por ter concluído o seu bom-dia, nem sequer reparava na aflição do amigo. Pensava no que diria em seguida. Teria de ser algo inteligente. As mulheres adoram ouvir frases inteligentes. Frases que as façam rir. Tinha lido em algum lugar: faça uma mulher rir e conquistará seu coração. Desejava impressionar aquela linda alemã. Demonstrar a superior cultura dos lusíadas. O que a faria rir? Uma piada, talvez? Um dichote qualquer? Antunes não conseguia se decidir.

Walter abriu a boca, mas não disse nada. Pensou um momento. Devia ou não devia? Devia ou não devia? Decidiu que devia. Arrancou a coragem de alguma gaveta da alma e falou, enfim:

– Porque a senhora é a criatura mais maravilhosa que já vi.

Falou. Pronto. Azar. Alzira.

Sem se virar para ele, com os olhos ainda fixos em Catarina, percebeu que Antunes ficara escandalizado.

– Oh! – exclamou o amigo – e mais não disse.

Catarina, para sua surpresa, absorveu o elogio com naturalidade, como se já o esperasse. Como se esbarrasse naquele gênero de ousadia todas as manhãs, depois do café. Fitou Walter fixamente. Sorriu com alguma malícia. Sussurrou:

– Walter...

Foi o suficiente para o coração de Walter quase parar. Era a primeira vez que ela pronunciava o nome dele sem colocar antes um "seu" impessoal. Tratava-se do maior avanço que Walter já obtivera em seis meses de paixão platônica.

Antunes olhava de Walter para Catarina e de Catarina para Walter, confuso. O que estava acontecendo ali? Ele sabia que algo estava acontecendo, mas o quê? Aqueles dois estavam flertando. Na frente dele! Nunca vira o amigo Walter tão desassombrado, tão arrojado, tão louco. E ela... ela retribuiu! Devia ter ficado escandalizada, mas retribuiu. Alemãs! Loiras! Quem pode saber como vai reagir uma loira? O que significava aquilo tudo?

Os dois continuavam parados, olhando um para o outro, ignorando a presença encabulada de Antunes, quando Ramos chegou.

9. “Como enfrentá-lo?”

– Catarina!

A voz trovejante de Ramos fez tremer as prateleiras da sapataria. Walter teve um sobressalto atrás do balcão. Antunes gaguejou:

– Mmmmm-meu D-Deus!

Catarina engoliu o sorriso. Virou-se para a porta. Ramos estava sobre a soleira, gigantesco.

Walter ficou mudo, os dedos vermelhos de tanto pressionar o cabo do martelo. Olhava de Ramos para Catarina, de Catarina para Ramos.

– Trouxe seu sapato para o conserto – explicou ela, a cabeça baixa.

– Vamos! – rosnou Ramos, colocando-se de lado na porta, dando-lhe espaço para sair.

Catarina hesitou. Walter pôs-se em expectativa. Será que ela iria? Será que se rebelaria contra a ditadura daquele animal de dois metros de altura? E, se ela fizesse realmente isso, se ela se negasse a ir com Ramos, como Walter deveria reagir? Acolhendo-a, claro. Defendendo-a. Mas Ramos... Ali estava um violento, um homem grande e forte, um perigoso. Um açougueiro, cruz-credo. Como enfrentá-lo? Walter precisaria de ajuda. Antunes?... Walter olhou para o amigo, gordinho, pequeno, o corpo em forma de pingo, a barba rala eriçada de pavor, os olhos pequenos muito arregalados, fitando o gigantesco Ramos fixamente. Não, Walter não podia contar com Antunes. Se houvesse algum confronto, teria de se valer do seu martelo e da sua valentia. Só. Olhou para Catarina. Ela continuava de cabeça baixa e de cabeça baixa depositou o calçado sobre o balcão. Saiu, em silêncio, passando de lado no espaço entre o corpo imenso de Ramos e a porta da sapataria.

Ramos continuou parado sobre a soleira, encarando Walter. Que não desfitou. Manteve-se impassível, os nós dos dedos agora esbranquiçados de apertar o cabo do martelo, o sangue pulsando nas têmporas, as pernas trêmulas. Nunca vira tanto ódio reunido numa única criatura. Olhar para Ramos era olhar para alguma entidade maligna.

Depois de alguns segundos em que o tempo parecia ter parado, Ramos girou sobre os calcanhares e sumiu na claridade amarela do dia. Walter continuou olhando para a porta, tremendo. Antunes se benzeu com a mão canhota:

– Cru, cru, cru, cruz-credo.

Walter respirou fundo. Tinha de se acalmar. Virou-se para Antunes, que ainda não havia tirado os olhos da porta da rua. O amigo então o encarou, limpou o suor da testa e gemeu:

– Walter, amigão, quase me caguei.

10. "O olhar maligno do açougueiro"

Walter passou o resto da manhã sozinho, trabalhando, refletindo. Estava instalado na banqueta atrás do balcão de madeira da sapataria, o avental azul-escuro amarrado ao pescoço descendo-lhe até os joelhos, quatro tachinhas presas aos lábios pelas pontas agudas, as cabeças arredondadas viradas para o lado de fora. Batia as solas com os calçados por consertar embutidos num tripé de ferro preto chamado pé de moleque. Nas paredes em volta, estantes com pequenos nichos, cada um deles com pares de calçados já reformados, esperando por seus donos. No chão, em volta dele, rolos de couro curtido, prontos para serem cortados em formatos de meia-sola ou sola inteira. A única distração de Walter era a janela que ficava em frente à sua mesinha de ferramentas. A janela oferecia-lhe uma fatia da rua do Arvoredo. Ao longo da rua, alinhavam-se construções de estilos variados. Havia casinhas de paredes de sapê e telhados de capim, muito simples, muito precárias. Havia sobrados de dois andares, alguns de madeira, outros feitos com os tijolos cozidos na rua da Olaria, tijolos robustos, que pesavam nove quilos, mediam trinta e cinco centímetros de comprimento, quinze de largura e dez de espessura. Havia casas do tipo açoriano, a porta da frente abrindo-se diretamente para a calçada, uma persiana de cada lado. A casa de Walter seria assim, se a fachada não tivesse sido alterada para que a peça da frente abrigasse a sapataria. Estabelecimentos comerciais funcionando na residência dos proprietários eram comuns na cidade. O açougue de Ramos também fora instalado em sua casa. Com duas diferenças básicas: o açougue havia sido puxado para um apêndice lateral e a casa número 27 era bem maior do que a de Walter e grande parte das outras, no entorno. Walter olhava para a rua irregular, de barro batido, rua que virava lodaçal intransitável em dias de chuva, e pensava em Catarina. Lembrava-se, sobretudo, da forma como ela falara Walter.

– Walter...

Apenas seu nome, reticências, nada mais.

E bastava.

Desde a morte de Maria Augusta não sentia tanta emoção ante a presença de uma mulher. Emoção mesclada com todas as outras sensações violentas que explodiram naquela manhã. O medo que ficara impresso no rosto dela à chegada de Ramos, o olhar maligno do açougueiro, a voz medonha que dava a impressão de ainda ecoar pela sapataria, todo o constrangimento que pairou como uma nuvem negra sobre eles. Não, aquilo não estava certo. Walter teria de agir. Teria de descobrir o que se passava no número 27. E teria de fazê-lo logo. Não podia deixar para mais tarde. Sabe-se lá o que poderia acontecer com Catarina se continuasse mais tempo naquela casa. Ela devia estar correndo perigo. Grande perigo. Ele sentia isso nos ossos.

Walter limpou o suor da testa. Parou de trabalhar por um segundo. Seus olhos amarelos fitaram a luz ainda mais amarela que vinha da porta da sapataria. Do outro lado da rua, levantava-se o morro sobre o qual reinavam o palácio da Presidência e a igreja Matriz. Walter podia ver um pedaço dos fundos do palácio.

Fazer logo.

Balançou a cabeça, concordando com a própria resolução. Voltou a olhar para o sapato que consertava. Assestou-lhe uma tachinha. Há muito tempo ruminava essa possibilidade – invadir a casa maldita, investigar o que acontecia lá dentro. Algo descobriria, disso estava certo. Tinha consciência de que se tratava de uma ação temerária, mas precisava empreendê-la. Sua intuição lhe dizia que Catarina enfrentava algo de muito ruim entre aquelas paredes. Intuição... Não. Era mais do que intuição; era o seu intelecto que chegara a essa conclusão, reunindo os indícios que lhe forneciam seus próprios sentimentos, além de outros dados bastante consistentes, como os gritos que ouvia à noite. Porque, afinal, a inteligência é exatamente isso: compreender por que nossos sentimentos estão nos dando um aviso, interpretá-los e agir de acordo com as conclusões tiradas da interpretação. Se você está sentindo algo, é porque teve uma percepção. É a inteligência pura agindo, pronta para ser verbalizada e, assim, se cristalizar em realidade. Pois as coisas só se tornam reais quando verbalizadas. Já diz a Bíblia: "No princípio, tudo era o Verbo; e Deus era o Verbo pairando sobre as águas". Aí está: o Verbo com maiúscula. Deus é o Verbo, e o Verbo é tudo. Quando falamos sobre um sentimento, ele se materializa na nossa frente. Vira realidade. Walter balançou a cabeça, satisfeito com o próprio raciocínio. Sim, ele se considerava um homem racional. Disso se envaidecia.

Durante semanas, vinha observando a casa. Passava devagar diante dela, mão no bolso, examinando cada detalhe, fazendo reconhecimento do terreno. Ia ao açougue, comprava a famosa linguiça especial, aproveitava para dar uma espiadela no terreno, memorizava a geografia do lugar, como se fosse um batedor do Exército ou um daqueles índios americanos sobre os quais havia lido em um jornal da Corte que lhe caíra nas mãos. Índios bravos, corajosos e ingênuos, que estavam sendo roubados e dizimados pelo governo dos Estados Unidos. Frequentemente, Walter parava do outro lado da rua quando saía para passear, examinava o panorama, encostado em alguma árvore.

À noite, em sua própria sala, sentado à escrivaninha que era o seu orgulho, Walter traçava uma eventual estratégia de ação. A escrivaninha era alta, feita de boa madeira de lei, compacta, com três gavetões de cada lado. No tampo, Walter havia disposto os papéis para as anotações, além de seus jornais, do livro que lia no momento e, o principal, o item de decoração que mais o agradava: um globo terrestre de madeira, colorido, do tamanho da banquetinha em que trabalhava na sapataria. Walter gostava de estudar o globo, de situar com precisão onde ficavam os países nos quais haviam ocorrido os fatos históricos que mais o encantavam. Sentava-se à escrivaninha, girava o globo e procurava: ali, na pequena forquilha formada pelos rios Tigre e Eufrates, nascera a civilização, graças à ganância comercial dos sumérios, ganância que, Walter reconhecia, era o que tirava a Humanidade da cama todas as manhãs e motivara a criação tanto da escrita cuneiforme quanto do moderno telégrafo elétrico. Girando um pouco mais o globo, Walter passava a unha pelas margens do dadivoso rio Nilo, onde se desenvolvera a formidável cultura egípcia. Um dos sonhos que acalentava com maior paixão era o de um dia visitar o Egito, conhecer o Vale dos Reis, as pirâmides de Quéops, Quefren e Miquerinos, a fabulosa cidade de Alexandria, sede da Grande Biblioteca do Mundo Antigo, incendiada por Júlio César. Mas havia mais. Muito mais. Próximo ao Mediterrâneo, Walter fincava o dedo no salto da bota onde vicejara o império de mil anos de Roma. Roma, a Cidade Eterna! O Coliseu! O Fórum! A tão incensada Fontana di Trevi, que fora construída havia cem anos e da qual diziam maravilhas! Não podia morrer sem ver Roma. Bem perto se multiplicavam as minúsculas mas buliçosas ilhas gregas. Atenas e Esparta, irmãs e inimigas como os gaúchos que vinte e poucos anos antes se matavam mutuamente na Guerra dos Farrapos. Mas a ilha de Santa Helena, onde morrera Napoleão, quarenta anos atrás, ele não encontrava. Onde diabos ficava a ilha de Santa Helena? Precisava descobrir onde morrera o homem mais importante da modernidade, o homem que transformara o mundo no que era hoje.

Havia sido na escrivaninha dominada pelo globo que Walter planejara a invasão à casa maldita, como se fosse um Bismarck traçando planos de guerra na Prússia de seus pais. Desenhara prováveis plantas da casa, estabelecera esquemas de ação detalhados, cheios de etapas e subetapas. Fazia isso à noite, sozinho, iluminado por um lampião de óleo de baleia.

Durante o dia, aboletado em sua banquetinha, na sapataria, ele revisava os projetos mentalmente. Nunca reunira audácia suficiente para pôr o plano em prática. Agora, a audácia se fazia necessária. Agora, não havia mais o que elucubrar. Teria de agir. Estava resolvido. Antes de o sol voltar a nascer, Walter descobriria o que se passava na casa ao lado.

Retesou-se ao tomar a decisão. Olhou para a rua. Balançou de novo a cabeça, em concordância. Apanhou um rolo de couro que estava no chão, do seu lado direito. Quando tornou a se aprumar na banqueta, ele estava lá.

Walter o reconheceu de pronto. Não havia como não reconhecê-lo. O chefe de polícia Dario Callado era um dos homens mais famosos de toda a Província de São Pedro. Magro, mas forte, a energia como que exsudando dos músculos sempre prontos para a ação. A pele escura, da cor da terra, curtida pelo sol. Os olhinhos rasgados, as pupilas negras onde volta e meia relampejavam um tanto de astúcia, muito de malícia.

Walter ficou apreensivo. Dario Callado em pessoa na sua sapataria. Não vinha pedir para consertar algum sapato, isso era certo. Esses trabalhos menores ele repassava para a criadagem. O poder de Callado se estendia por toda a província. A Corte sempre designava pessoas de outras regiões para o cargo de chefe de polícia. Ele era nordestino. Cearense, alagoano, pernambucano, algo assim. O chefe de polícia era conhecido como um homem facilmente irritável, de humor cambiante e escrúpulos maleáveis. O deputado Silveira Martins não cansava de subir à tribuna para usar da sua célebre oratória a fim de denunciar descalabros cometidos por Callado. Prisões ilegais, como da vez em que um homem foi detido por assobiar durante um espetáculo no Theatro São Pedro. Desmandos, como a prisão de um comerciante que lhe negou cumprimento numa recepção pública. Espancamentos de presos e de escravos, aos quais não permitia sequer que andassem pelas calçadas da cidade. Silveira Martins bradava, o dedo em riste, a basta cabeleira tremulando feito um estandarte, mas a Corte não fazia nada. Dario Callado continuava soberano e intocável na Província de São Pedro.

De todas as histórias que se contavam a respeito de Callado, as que o populacho mais apreciava versavam sobre suas investidas amorosas. Callado era um conquistador fracassado. Admirava sobretudo as atrizes de teatro. Sempre que uma companhia chegava a Porto Alegre, ele ia aos camarins, mandava flores para as divas, cortejava-as, na esperança de obter seus favores sexuais. Nada mais natural. As atrizes, célebres por sua vida mundana, eram consideradas mulheres fáceis, carregavam a fama de serem libertinas. Quando chegavam à cidade, eram tratadas como estrelas, tornavam-se assunto de todas as rodas masculinas na rua da Praia, alimentavam os sonhos românticos dos jovens. Um jurava ter visto o tornozelo de uma cantora. E lhe descrevia as formas: como o tornozelo era redondo, liso e provavelmente macio. Outro falava acerca da gargalhada sonora com que uma polaquinha eletrizara a Bailante, da maneira como ela ria sem pudores nesta terra em que as mulheres pouco riam. Os poderosos organizavam recepções para elas, as mães de família olhavam-nas com um misto de inveja e desprezo. Inveja por sua liberdade, por suas roupas coloridas, pelo feitiço com que encantavam os homens. Desprezo por sua péssima reputação, pela ameaça que representavam à vida modorrenta e segura que levavam nas ruas pardas da capital da província mais meridional do império.

A imagem que a gente bem fazia das atrizes ficara plasmada no ano anterior. Uma jovem cantora italiana representara o papel da Virgem Maria numa quermesse da capela do Menino Deus. Fora sobejamente aplaudida e festejada, era a própria Nossa Senhora, a menina. Dias depois, ela contraiu varíola e morreu. O padre da igreja das Dores recusou-se a lhe ministrar os sacramentos, alegando que a moça tivera uma vida dissoluta. O diretor da companhia processou o padre, mas os magistrados locais se negaram a examinar a questão, argumentando que a Justiça não trata de assuntos religiosos.

Exatamente por ser um homem sedento de prazeres mundanos, Dario Callado amava as atrizes. Apaixonou-se por uma delas, uma morena de tez clara que, diziam, era francesa, o que lhe incandescia a aura de sensualidade. Mas a tal morena, bem como a maioria das mulheres abordadas pelo chefe de polícia, não foi sensível aos seus galanteios. Ao contrário, considerou mais atraente um tenentinho que andava rondando o teatro depois de suas apresentações. Uma noite, Callado foi vê-la nos camarins. Apresentou-se todo enfarpelado, portando um vistoso buquê de flores. Encontrou a moça aos beijos com o tenente. Furioso, atirou o ramalhete num canto do corredor, muniu-se de sua bengala encastoada e com ela aplicou uma surra no galã, recriminando-o porque ele tivera comportamento inadequado em público, onde já se viu tamanha pouca-vergonha.

Era esse homem perigoso e violento que agora estava diante do balcão da sapataria, em silêncio. Walter se levantou, solícito. Apoiou as mãos no balcão:

– Pois não?

O chefe de polícia não respondeu. Ficou olhando para os sapatos nas prateleiras, como se estivesse sozinho na peça. Walter notou que outros dois homens, certamente policiais, haviam se postado do lado de fora da sapataria e observavam a cena sem manifestar emoção. Eram homens grandes e escuros, desses que o chefe de polícia usava para intimidar a quem interrogava. Walter estremeceu. Não gostava nada daquilo. Também não gostava da atitude de Callado. O silêncio do policial o inquietava. Era impossível que ele não o tivesse visto. Estavam a metro e meio de distância. Callado simplesmente queria mostrar que pouco ligava para a presença de Walter, ainda que estivesse em sua sapataria.

– Pois não? – repetiu Walter, agastado, tentando manter o tom cordial da voz.

Dario Callado como que despertou de um devaneio. Fincou seus olhinhos duros nos olhos amarelados do sapateiro.

– O senhor trabalha nessa rua há muito tempo? – questionou, sem se apresentar. Decerto, julgava que com ele as apresentações eram dispensáveis. De alguma forma, tinha razão.

– Há alguns anos – respondeu Walter.

– Hmmm. Não tem notado nada estranho por aqui?

Walter apertou os olhos.

– Estranho?

– De um ano para cá, tenho recebido informes sobre desaparecimentos de cidadãos. Dois desses foram vistos por essas imediações antes de sumir. O senhor conhece Olímpio Duarte ou Guilherme Rech?

Walter pensou por um momento. Possuía muitos clientes e muitos amigos, conhecia gente suficiente para não saber todos os nomes de cor. Com seu bom humor constante e seu temperamento afável, Walter superava até os preconceitos raciais que dividiam a cidade. Algumas pessoas o cumprimentavam com intimidade, e Walter nem sequer se lembrava de onde as tinha visto. Duarte. Rech. Não. Walter não se lembrava de nenhum Duarte ou Rech.

– Creio que não – respondeu, afinal.

– O senhor crê que não ou tem certeza que não?

A pergunta era incisiva. Como ele poderia ter certeza? Passava tanta gente por ali. Mas, se dissesse que achava que não, a incômoda presença do chefe de polícia em sua sapataria poderia se alongar indefinidamente.

– Tenho certeza – decidiu.

Dario Callado encarou-o por alguns segundos. Parecia analisá-lo. Estaria cogitando da possibilidade de Walter estar mentindo? Walter se sentiu corar. Odiou-se por isso. Corar naquele momento era como uma confissão de culpa, e ele não era culpado de coisa alguma. Como se detestava quando corava, já era um homem velho para ficar corando assim.

– Muito bem – prosseguiu o chefe de polícia, ostentando um lampejo vitorioso nos olhinhos negros, o que irritou Walter ainda mais. – E algo estranho? O senhor viu algo estranho?

Walter voltou a refletir. Algo estranho? Os gritos na casa ao lado certamente eram algo estranho. Deveria contar? Talvez isso prejudicasse Catarina. Talvez, se o policial fosse lá fazer perguntas, ela pensasse que Walter era um fofoqueiro, um bisbilhoteiro. Além do mais, o que gritos dentro de uma casa poderiam ter a ver com desaparecimentos? Eram gritos de mulher, e Callado estava investigando desaparecimentos de homens, pelo que ele entendeu. Melhor ter cautela.

– Não tenho visto nada estranho, não.

O chefe de polícia apertou ainda mais os olhinhos negros, até que se tornaram dois riscos no rosto curtido pelo sol.

– Está bem – concluiu. – Se o senhor souber de algo suspeito, por favor, me procure.

– Sim, senhor.

O chefe de polícia deu-lhe as costas. Saiu da sapataria, ladeado pelos outros dois policiais. Walter ficou observando. Notou que, do outro lado da rua, estava estacionada a famosa caleça negra de Callado, puxada por dois cavalos também negros. O chefe de polícia e seus asseclas sumiram na luminosidade da rua do Arvoredo. Walter suspirou. Não gostava daquele homem, de fato.

Já começava a voltar ao trabalho quando Januário pulou sobre o balcão. O latido poderoso quase lhe fez engolir uma tachinha. Aquele estava sendo um dia repleto de surpresas. Januário era cachorro de grande porte, realmente. Seguiu-se o riso estrondoso do anspeçada Brasiliano:

– Mas bá! Boas tardes, bagual!

Walter olhou por sobre o balcão. Riu de volta, ante a visão daquelas duas criaturas luminosas.

Assemelhavam-se, Brasiliano e seu cachorro Januário. Grandalhões, sempre satisfeitos com a vida, barulhentos. O basto bigode de Brasiliano parecia-se com o pelame que se derramava sobre a caratonha de Januário, os olhos negros e redondos de um espelhavam a alegria sempre presente nos olhos negros do outro. Brasiliano era um urso amável. A Januário, faltava-lhe pouco para ser um urso também.

– Me diga, amigo Walter, o sujeito que vi sair daqui agorinha é mesmo quem penso que é?

– Dario Callado. O próprio.

– A la fresca! O que ele queria contigo?

– Está investigando uns desaparecimentos.

– Em pessoa? Deve ser coisa grave.

– Deve. Perguntou sobre dois homens que andaram aqui pela rua antes de sumirem. Rech e Duarte. Conhece alguém com esses nomes?

Brasiliano alisou o bigodão.

– Acho que não...

– Eu também não.

– Vi ele entrando no açougue do Ramos, depois de sair daqui.

– No açougue? – Walter levantou uma sobrancelha. – Bem, vai ver ele vai interrogar todo o comércio da rua.

– Vai ver. Mas, sabe, ele pareceu bem contente ao ver o açougueiro. O Ramos saiu à porta do açougue para recebê-lo, e os dois se cumprimentaram de um jeito que achei que se conheciam.

– Bem, o Ramos já foi da força policial, não foi?

– Verdade – Brasiliano pensou um instante. Coçou o queixo. Em seguida, sacudiu a cabeça como se estivesse afastando as ideias que tivera, sorriu. – Buenas, o Callado que se vire – concluiu. E continuou, com maior interesse: – Agora: nem te conto o que vi ontem à noite, amigo Walter.

– Acho que você vai acabar contando – o amarelo dos olhos de Walter luziu atrás do balcão.

– E não é que vou mesmo? – Brasiliano debruçou o peito no balcão. Baixou o tom de voz, como se fizesse uma confidência. – Era tarde, já, umas dez da noite, eu estava na rua Formosa e resolvi dar uma passeada até a periferia, bater perna.

– Essas suas andanças noturnas são um perigo, já disse. Tem muito bandoleiro por aí, muito escravo fugido, pronto para o assalto.

– Com o Januário do meu lado, não tem problema – e Brasiliano deu um tapinha amável na cabeça do cachorro, que latiu de contentamento. – Mas deixa eu te contar.

– Deixo...

– Pois vinha lá pelas bandas da Santa Casa e, de repente, vi um vulto de mulher perto da Roda dos Enjeitados. Parei. Me escondi atrás de uma árvore. Sabe: nunca tinha visto uma mulher despejando filho na Roda. Ontem vi, do meu esconderijo. Ela cobria a cabeça com um xale e chorava, tenho certeza que chorava. Colocou a criança na Roda, mas colocou com muito carinho, com muito cuidado. Antes de girar a Roda de volta, deu um beijo na testa do nenê. Então, girou-a, soluçou, tocou o sino pra avisar o funcionário do hospital e saiu correndo.

– Que coisa... – Walter havia parado de trabalhar para ouvir a história. Brasiliano era um bom contador de histórias.

– Na hora em que ela se virou, amigo Walter, acho que vi seu rosto. E, olha, acho que era a Emiliana.

– Emiliana?

– A criadinha do Ramos, aqui do lado!

– Ah... – Walter lembrou-se da moça, uma mulatinha nascida livre. Acontecia amiúde o que sucedeu a Emiliana. Ela era filha de uma escrava com seu senhor. Ao nascer, o pai lhe concedeu a liberdade, mas manteve a mãe em cativeiro. Emiliana trabalhou um tempo na casa do pai, mas, adulta, decidiu se mudar. Arranjou emprego na casa do açougueiro. Trabalhava em troca de pouso, comida e alguns poucos réis. Muito quieta, sempre de cabeça baixa, nunca se ouvia o som de sua voz. Walter não sabia que estivera grávida. Mais um mistério da casa número 27.

– Estranho... – comentou.

– Será que o Ramos não aceitou o bebê em casa? – perguntou Brasiliano. – Além disso, quem será o pai? Eu bem que queria mostrar àquela mulatinha por que sou conhecido no Alegrete como Brasiliano Cavalo.

Walter sorriu com a pilhéria do outro. Pensou na Roda dos Enjeitados. Considerava o sistema bastante humano: quando a mulher não queria o filho, deixava-o na Santa Casa, que, após prestar os primeiros cuidados à criança, contratava uma mulher como "criadeira". A criadeira tratava a criança por sete anos, depois a devolvia à Santa Casa. Walter pensava na Roda e tentava prestar atenção em um salto que deveria ser extraído.

– Ouviste os gritos essa noite? – continuou Brasiliano, baixando a voz.

Walter ficou sério. Será que Catarina seria o assunto de todo o bairro?

– Ouvi, sim.

– De arrepiar. Tinha vontade de ir lá, ver o que se passa naquela casa. Mas o açougueiro tem jeito de ser uma fera, não tenho vontade de me arriscar só por curiosidade.

– É. Uma fera – concordou Walter, imaginando como seria entrar no covil da fera.

11. "Walter nunca fizera algo semelhante"

Em outubro, o crepúsculo desce sobre Porto Alegre por volta das 18h30. Walter esperou até que estivesse bem escuro, bem depois de o sol mergulhar nas águas pardas do Guaíba. Só então saiu da sapataria, que fechara no fim da tarde. Caminhou até o outro lado da rua, onde não havia casas, apenas árvores e a colina do palácio da Presidência. Esgueirou-se atrás de uma árvore de caule mais taludo. Observou. Não notou nenhum movimento especial no número 27. Será que já dormiam? Respirou fundo. Soltou o ar pelo nariz. Ia. Agora ia. Tinha tomado a decisão, e agora ia.

Atravessou de volta a rua irregular. Estacou em frente à casa. Sentiu um arrepio levantar-lhe os pelos da nuca. O lugar tinha um aspecto maligno. Mas lá estava Catarina, e ele queria saber o que se passava com ela. Catarina, naquele momento, era a sua promessa de felicidade. O seu futuro.

Abriu o portão com cuidado. Não conseguiu evitar um rangido que lhe pareceu ecoar por toda a rua. Cerrou os dentes. Olhou em volta. Para a esquerda. Para a direita. Entrou no pátio. Deixou o portão entreaberto. Caminhou em silêncio até a porta da frente. Estaria aberta? Experimentou o trinco. Fechada. Devia desistir? Devia ir embora? O coração batia com força. Walter ofegava como se tivesse dançado uma polca na Bailante. Resolveu tentar mais uma vez. Ao lado da casa, em oposição ao açougue, havia um corredor que levava para os fundos do prédio. Talvez ali encontrasse uma janela aberta. Esgueirou-se até lá, torcendo para que sua figura desaparecesse nas sombras do jardim. Havia quatro janelas na parede lateral.

Sorte. Na primeira tentativa, achou a veneziana destrancada. Agora, era entrar no covil. Walter nunca fizera algo semelhante. Sempre fora um comportado, um respeitador dos limites alheios. Nunca furtara nada nem colocara material inferior nos calçados que consertava, nunca traíra sua mulher, nunca subornara nenhum funcionário do Império. Invadir a propriedade de um vizinho, penetrar clandestinamente em sua casa, assediar uma mulher casada, tudo isso era novidade para ele e era tudo muito insensato. Mas a fronteira do bom senso já fora rompida. Precisava ir em frente.

Foi.

Esforçando-se para controlar os braços trêmulos e as pernas frouxas, reuniu as energias e, de um pulo, viu-se no interior da casa. Quase não fez ruído, mas achou que o som seco da queda no assoalho de tábuas era o suficiente para alvoroçar a cidade inteira.

A casa estava às escuras. Walter não enxergava nada. Caminhou com dificuldade pela sala, os braços estendidos, testando cada passo com a ponta dos pés, tentando não esbarrar em nenhum móvel. Viu que a luz fraca de um lampião iluminava alguma peça no fim do corredor. Foi para lá, cauteloso. Devagar.

Devagar.

Ofegava baixinho. Olhou para trás, para a janela aberta. Teve vontade de voltar, ir-se dali, desistir de tudo. Por que aquela sandice? Por quê? Catarina talvez nem pensasse nele. As mulheres são assim. Elas testam seu poder de sedução, provocam o homem, mas isso não quer dizer que irão adiante com ele. Depois de perceberem que ele está subjugado, que está aos seus pés, elas dão as costas à vítima e se vão, rindo. Catarina talvez só esteja testando o alcance do seu feitiço, ela e seus olhos d'água.

Olhos d'água.

A lembrança dos olhos aquosos de Catarina tornou a amaciar o coração de Walter. Não. Ela não era uma devoradora de homens. Ela era uma mulher de verdade. O tipo de mulher pelo qual esperava havia tantos anos. Prosseguiu. Avançou mais alguns metros, vacilante. Catarina era a mulher que ele queria, já havia decidido. Mas o que estava fazendo era o certo? Quando diante de um dilema, Walter sempre se valia do mesmo raciocínio. Perguntava-se: estou fazendo a coisa certa? Foi o questionamento que se fez, no escuro da casa maldita. Aquilo era correto? Não estava agindo feito um ladrão vulgar? Havia planejado aquela invasão durante tanto tempo e agora, no momento da ação, hesitava. Pelo amor de Deus, aquele não era o momento de questionamentos éticos. Era o momento da ação! Por que a realidade só se mostra como é no instante mesmo em que está acontecendo? Por que, por mais experientes que sejamos, não conseguimos imaginar o que sentiremos depois de tomar uma decisão? Estava nervoso. Estava angustiado. Olhou mais uma vez para trás, para a janela cada vez mais distante. Ainda havia tempo de sair dali sem maiores consequências, e, ele sabia, as consequências poderiam ser graves. Walter parou. Queria organizar os pensamentos.

Então, sentiu uma presença às suas costas.

12. "Estou morto"

Mais do que uma presença, Walter sentiu o cano de uma arma espetando-lhe as costelas. Prendeu a respiração. Abriu a boca. Todos os seus músculos se retesaram. "Estou morto", pensou. "Morto."

Levantou os braços devagar. Achou que era o que devia fazer naquela hora: levantar os braços, se mostrar indefeso, garantir que não reagiria de forma alguma, deixar claro a quem estivesse com o dedo no gatilho que não precisaria puxá-lo.

Como derradeiro e desesperado recurso, cogitou se deveria correr. Mas olhou para o fundo do corredor e calculou que se transformaria em um alvo fácil. O açougueiro o executaria como se fosse uma perdiz. Mas ainda não estava entregue. Ainda não desistira. Decidiu argumentar.

– R-Ramos... – começou, sem saber exatamente o que dizer. – Eu...

– Walter?

Walter sentiu um jorro de esperança lhe inundar as veias. Era a voz de Catarina! A voz meiga e carinhosa de Catarina!

– Catarina? – perguntou, virando a cabeça, os braços ainda erguidos.

Era ela, vestindo uma longa camisola branca, de carabina em punho. Walter ficou parado, de boca aberta, imaginando que desculpa daria para estar ali. Abaixou as mãos, constrangido, sem tomar qualquer decisão. Não precisou inventar nada. Catarina encostou a carabina à parede e avançou para ele, de braços abertos, suspirando:

– Walter...

Abraçou-o, para sua exultação e surpresa. Era como se estivessem se reencontrando depois de uma dolorosa separação. Walter enlaçou a cintura dela e se abandonou ao cheiro doce daquele cabelo fino, daquele pescoço tenro, daquele corpo quente.

– Catarina, eu...

– Walter... – ela sorriu, misturando o verde dos seus olhos com o dourado dos olhos de Walter.

E o beijou ternamente.

Walter estonteou com o sabor daqueles lábios carnudos. Enfiou a língua entre eles, enroscou-se com a língua dela, era como se fossem um só. Sentia-se feliz, feliz.

– Catarina... – murmurava, enquanto a beijava.

– Querido...

Feliz, feliz...

Até ouvir o som de uma chave sendo enfiada na fechadura da porta da frente.

13. "Ele é a besta-fera"

– Ramos! – Catarina olhou na direção da porta, assustada. – Não é possível! A peça já terminou?

– Peça? – estranhou Walter.

– Peça, peça! No São Pedro – explicou ela, empurrando Walter para o corredor escuro. – Rápido! Sai pelos fundos! Rápido! Ou ele te mata!

Walter hesitou. A incoerência da informação o perturbava: um brutamontes que passava o dia de cutelo na mão, entre picanhas e alcatras, frequentando o Theatro São Pedro? Não combinava. Além disso, havia o seu orgulho. Não queria fazer papel de covarde diante de Catarina.

– Ele vai ao teatro? – perguntou.

– Vai. E você vai embora agora! Ele já está entrando.

– Não – Walter reagiu, peito empinado. – Vou falar com ele. Vou dizer que amo você.

– Enlouqueceu! – Catarina falou isso olhando para ele, mas era como se falasse com outra pessoa. – Só pode estar louco! Ele vai te matar! Ele é a besta-fera!

Besta-fera? Que tipo de expressão era aquela? O que ela queria dizer? Como podia uma mulher chamar o marido de besta-fera? Em todo caso, Walter se alegrou. Catarina não ia querer continuar com a besta-fera – ia querer ficar com ele, Walter.

A chave já estava saindo da fechadura. A porta já ia se abrir. Catarina cada vez mais agitada, nervosa. Olhava para a porta. Olhava para Walter. Tentava empurrá-lo para os fundos da casa.

– Para os fundos – implorou ela. – Por favor! Não quero que ele lhe faça mal. Por favor. Não quero nada de mal pra você.

Aquela frase enterneceu Walter. Ela se preocupava com ele! Ela gostava dele. Mas, ao mesmo tempo, o irritou. Por que Catarina achava que Ramos era mais homem que ele? Por que ela achava que Ramos lhe faria mal e não ele a Ramos? Por que Ramos era grande? Por que era forte? Ora, Walter sabia se defender, fora criado nas ruas barrentas de Hamburgo Velho, brigando por qualquer desavença nos jogos de criança, trabalhando desde muito cedo na sapataria do pai, carregando rolos de couro, empunhando o martelo, mourejando desde que o sol nascia até a lua vagar alto no céu. Nada disso. Ele ia ficar. Ia enfrentar a besta-fera.

– Eu fico! – decidiu.

– Por favor! – ela já estava quase chorando.

– Fico – teimou Walter. Ia resolver o assunto de uma vez por todas. Se ela gostava mesmo dele, que dissesse agora. Walter sabia que ela e Ramos não haviam casado na igreja. Isso talvez facilitasse as coisas. Ele e Catarina, sim, poderiam casar na igreja. As mulheres adoram casar na igreja. – Fico! – insistiu.

– Pelo amor de Deus! – a porta se abria, uma

luminosidade fraca entrava pela fresta. Catarina empurrava Walter para os fundos, as pequenas mãos no peito dele. Ele recuava, caminhando de costas, balançando a cabeça, pensando, determinado: vou ficar, vou ficar. Então, choramingando, ela implorou:

– Vais me prejudicar!

Vais me prejudicar. A frase lamentosa trincou a resistência de Walter. Prejudicá-la. Isso ele não poderia fazer. Nunca. Poderia morrer assassinado pela besta-fera, mas prejudicar Catarina, jamais. Jamais fazê-la chorar, e ela estava a ponto de verter lágrimas. Mudou de ideia. Resolveu fugir. Fugir, não. Seria uma retirada estratégica.

– Te amo! – repetiu, antes de se embrenhar na escuridão, guiado por ela.

– Por aqui, por aqui – empurrava-o Catarina.

– Te amo! – repetiu Walter, na esperança de que ela também dissesse te amo.

Ela não disse. Apenas o conduziu até outra peça. Passaram pela cozinha, chegaram a um pátio escuro. Muito escuro. Walter não enxergava nada.

– Pule o muro – Catarina apontou para a parte de trás do pátio e voltou açodadamente para dentro de casa. Bateu a porta sem se despedir, sem dizer eu te amo, sem um aceno amoroso. A última nesga de luz foi sugada pela escuridão.

Muro? Walter não via muro algum. Esperou até que seus olhos se acostumassem com a tênue claridade da lua. Aos poucos, a sombra do muro foi surgindo, nos fundos de um pátio entulhado de objetos que ele mal conseguia divisar. O que era aquilo? Pedaços de mesas? De móveis velhos? De estantes? Um puxado de madeira ali adiante e, sob ele, um enorme tonel. O que conteria? Walter ainda olhou por alguns segundos para a porta fechada. Suspirou. De repente, notou uma luminosidade à sua esquerda, em algum ponto do quintal. Agachou-se rapidamente. Notou, então, que no fundo do terreno, do lado esquerdo, havia um pequeno quarto separado da casa. E não era o quarto de banho. Não. Era um desses quartos de aluguel. Algum criado ou inquilino devia morar ali. Essa pessoa ouviu o barulho, acordou-se e agora sairia à rua para investigar. Walter não podia mais vacilar. Teria de ser veloz e preciso. Levantou-se. Partiu, enfim, lanhando-se todo nos arbustos do pátio, tropeçando em alguns pedaços de madeira, olhando de quando em quando para o quarto fracamente iluminado. Chegou ao muro feito com os grandes tijolos cozidos, obviamente, na rua da Olaria. Era um muro alto. Walter precisaria de um apoio. Felizmente, havia muita madeira sobrando por ali. Tateou o chão, em busca de algo em que pudesse subir. Olhou para a porta do quarto, ainda fechada. Achou uma tábua. Encostou-a no muro. Escalou-o com dificuldade. Olhou de cima do muro para o chão negro. Alto. Muito alto. Mas, o que fazer? Tinha de saltar. Olhou mais uma vez para a porta do quarto. Ninguém saíra ainda. Ninguém também à porta da casa de Catarina. Tomou fôlego. Saltou, receoso. Mas, para sua surpresa, não se machucou. Aterrissou em terreno macio, estava inteiro. Esgueirou-se até sua casa, ali ao lado. Entrou no pátio, tão familiar. Abriu a porta dos fundos. E logo estava de volta à segurança da sua própria residência.

Entrou pela cozinha. Acendeu o lampião. Ainda estava ofegante. Apanhou um garrafão de vinho da despensa e uma caneca do armário. Serviu-se de uma dose generosa. Bebeu em grandes goles. Suspirou. Encheu de novo a caneca. Caminhou com ela até a sala. Sentou-se à escrivaninha. Olhou para o globo sem vê-lo. O que havia acontecido exatamente? Não tinha bem certeza. Catarina o amava? Não dissera que o amava. Mas o amava, ficou mais do que evidente que o amava. Aquele beijo... Walter sorriu, ao lembrar-se. Aquele beijo... Como faria para tê-la? Para tirá-la do açougueiro? Oh, Cristo, por que tudo era tão difícil? Mas, ao mesmo tempo, que novidade esplendorosa em sua vida. Agora, tudo parecia ter sentido. Tudo parecia ter cor e calor. Que bom que havia decidido invadir a casa maldita.

Levantou-se. Caminhou até o quarto, ainda com a caneca de vinho na mão. Olhou para o daguerreótipo de Maria Augusta, aberto sobre o criado-mudo. Lembrou-se de quando tinham feito o retrato com um daguerreotipista ambulante que viera do Rio de Janeiro. Walter havia economizado alguns meses para pagar o trabalho. Ficara perfeito. Lindo. Ali estava o pequeno estojo de bronze aberto como um livro, guardando no fundo, atrás de uma parede de vidro, o seu tesouro: o retrato de sua amada. Um milagre da tecnologia. As novas fotografias eram mais simples, mais baratas e duravam muito mais tempo, é verdade, mas a arte do daguerreótipo continuava insuperável. Walter apanhou o estojo com uma mão. Equilibrou-o entre o indicador e o polegar. Murmurou:

– Você entende, Maria Augusta... Você entende...

Então, os gritos cortaram a noite, mais uma vez.

– Nããããããããão! Nãããããããão!

Walter quase deixou o precioso daguerreótipo de Maria Augusta cair. Recuperou-se a tempo. Depositou com calma o estojo e a caneca no criado-mudo, o coração aos saltos. Sentou-se na cama.

– Nãããããããõ! Nãããããããão!

Walter cobriu os ouvidos com as mãos.

14. "Dom Pedro lhe reconhecia a primazia"

Dom Pedro II foi quem transformou a fotografia em moda nacional. O imperador era um cientista, um entusiasta das invenções que maravilhavam o século. Aos quatorze anos, conheceu o daguerreótipo e se encantou. Não só ele, claro. O mundo inteiro se encantou. Quem tinha posses mandava fazer um daguerreótipo. Charles DeForrest, daguerreotipista americano, chegou ao Brasil nos anos 40 e percorreu o país vendendo o seu trabalho. Se o freguês não dispusesse de dinheiro vivo, podia pagar com mercadorias. Mas não era barato. Por um daguerreótipo, DeForrest cobrava um cavalo!

DeForrest passou também pelo Rio Grande do Sul, espalhou daguerreótipos pela província. Um deles, o de Maria Augusta, pago com sacrifício por Walter. Depois, embrenhou-se por Argentina e Uruguai. Ao fim de sua aventura sul-americana, vendeu cada cavalo por três dólares e retornou aos Estados Unidos com a bolsa bem fornida.

Quando DeForrest voltou para sua pátria, a daguerreotipia já estava sendo substituída por outros processos mais modernos, como a ferrotipia. Dom Pedro II acompanhava com interesse a evolução do invento, a sua transformação na fotografia definitiva, impressa em papel. Tornou-se ele próprio fotógrafo, registrou as viagens da família imperial, a vida na corte, retratou para a posteridade o século do qual foi um dos personagens mais importantes.

Dom Pedro conheceu pessoalmente Hercules Florence, o homem que dizia ter inventado a fotografia antes mesmo de Daguerre. De fato, em 1833, Florence criou um processo parecido com o daguerreótipo, sem, no entanto, obter igual sucesso na fixação da imagem. Na época, Florence já vivia no Brasil, onde casou, teve filhos, constituiu família. Em 1839, estava num serão na casa de amigos, em Campinas, quando soube que Daguerre alardeava, na França, a invenção do processo fotográfico. Foi um golpe para Florence. Seus amigos perceberam claramente o abatimento que o fez atravessar o resto da reunião macambúzio. Contou, mais tarde, que aquela tinha sido a pior noite de sua vida.

Mesmo assim, Dom Pedro lhe reconhecia a primazia e o saudava por isso. Era algum consolo para o frustrado Hercules Florence.

Muitos fotógrafos se estabeleceram no Rio de Janeiro, estimulados pelo imperador. Até as famílias de classe média podiam mandar fazer um retrato, uma vez que os preços cobrados pelos fotógrafos não eram tão caros quanto os do velho daguerreótipo que enriqueceu DeForrest. A mania da fotografia se espalhou pelo império. Chegou à Província de São Pedro.

O padeiro Manoel Antunes se orgulhava de ter diversos retratos da família espalhados pela parede, embora sua mulher, Rosa, lhe censurasse o esbanjamento com tais futilidades. Nesse momento, Antunes preparava o almoço com que ia receber seus amigos Brasiliano e Walter. Isso também era censurado por Rosa. Para que gastar com esses dois? Eles não tinham o que comer em casa? Antunes, que normalmente atendia a mulher em todas as suas reivindicações, nesses casos batia o pé. Repetia o bordão do amigo Walter:

– Os bens mais valiosos de um homem de bem são os seus amigos, pá!

Assim, Antunes não só manteve o almoço, como colocou Rosa para ajudá-lo na cozinha. Aquela função o deixava contente. Enquanto preparava os pratos com que regalaria os amigos, cantarolava um fado, uma melancólica e envolvente cantiga acompanhada de guitarra surgida vinte anos atrás, em Portugal.

15. "O jovem Machado de Assis"

Walter não foi à missa. Não gostava de ir à missa. Ia, de vez em quando, para não ser malfalado pela vizinhança menos carola do que maliciosa. Mas não gostava. Não era religioso. Também não era ateu. Se morasse na Inglaterra, saberia o que era: agnóstico. O agnosticismo estava sendo concebido por aqueles dias pelo britânico Thomas Huxley.

Apesar dessa sua indiferença espiritual, pagara dez réis pela assinatura anual do *Estrela do Sul*, jornal religioso que circulava aos domingos, em Porto Alegre. Porque gostava mesmo era de ler. Lia de tudo. Jornais, romances, história universal, o que lhe caísse nas mãos. Lia o *Estrela do Sul* porque gostava de estar atualizado acerca dos ataques da igreja católica aos luteranos que tinham se instalado na província com a chegada dos colonos alemães. O *Estrela do Sul* era bastante cioso no combate aos protestantes egressos do além-mar. O próprio Walter era de família luterana, mas ele pouco se importava com disputas teológicas. Para ele, o debate entre padres e pastores acabava se tornando, antes de tudo, divertido.

Walter assinava também *O conciliador* e todos os jornais de vida curta que apareciam eventualmente na cidade, grande parte deles sob os auspícios do médico Caldre e Fião. Walter admirava esse Caldre e Fião, intelectual vigoroso, autor do primeiro romance escrito na província de São Pedro, o ótimo *A divina pastora*, publicado em 1847. Quatro anos depois, Caldre e Fião, que na verdade se chamava José Antônio do Vale, escreveu um romance ainda melhor, na opinião de Walter: *O corsário*. Devido a sua ousadia, o livro foi objeto até de algum escândalo na conservadora sociedade porto-alegrense. Nele, Caldre e Fião contava a história de um náufrago inglês que era recolhido por uma bela jovem nas areias de Tramandaí. A moça se apaixonava pelo estrangeiro, mas ele, com sua natureza de homem errante dos mares, muito a faria sofrer.

Os jornais publicados por Caldre e Fião eram sempre enérgicos e sempre reservavam generosos espaços às manifestações culturais. O *Estrela do Sul*, não. O *Estrela do Sul* era algo árido para quem se interessava por cultura. Resumia-se a um tabloide de quatro páginas sem pretensões cosmopolitas. O texto de capa se estendia pela página dois – um artigo galhardamente intitulado "Os jesuítas, os lazaristas e as irmãs de caridade defendidos por si mesmos no tribunal da razão e da história".

Walter decidiu ler o artigo mais tarde, não se sentia particularmente interessado na autodefesa dos jesuítas, dos lazaristas e muito menos na das irmãs de caridade. Passou para a seção "Variedade", onde havia o Expediente do Bispado. "Hoje, às sete horas da manhã, confere sua excelência reverendíssima em sua Capela Episcopal a Sagrada Ordem de Diácono ao subdiácono José Marcellino de Souza Bitencourt", noticiava o periódico. Walter fez uma congratulação mental ao subdiácono pela promoção, mas seguiu adiante. Correu os olhos para o quadragésimo segundo capítulo do romance *Bárbara*, publicado em formato de folhetim. A qualidade do texto se situava um pouco abaixo do razoável. Walter preferia autores modernos, como Manuel Antônio de Almeida ou seu pupilo, o jovem Machado de Assis, mulatinho de 25 anos de idade que naquele ano mesmo publicara um impecável livro de poesias, *Crisálidas*. Walter inclusive lembrava de cor um poema de Machado que ele considerava genial:

"Erro é teu. Amei-te um dia
Com esse amor passageiro
Que nasce na fantasia
E não chega ao coração;
Não foi amor, foi apenas
Uma ligeira impressão;
Um querer indiferente,
Em tua presença, vivo,
Morto, se estavas ausente,
E se ora me vês esquivo
Se, como outrora, não vês
Meus incensos de poeta
Ir eu queimar a teus pés,
É que, como obra de um dia,
Passou-me essa fantasia.
Para eu amar-te devias

Outra ser e não como eras.
Tuas frívolas quimeras,
Teu vão amor de ti mesma,
Essa pêndula gelada
Que chamavas coração,
Eram bem fracos liames
Para que a alma enamorada
Me conseguissem prender;
Foram baldados tentames,
Saiu contra ti o azar,
E embora pouca, perdeste
A glória de me arrastar
Ao teu carro... Vãs quimeras!
Para eu amar-te devias
Outra ser e não como eras..."

Ah, como ele gostaria que seu amor por Catarina fosse passageiro como o do poeta fluminense. Pouparia-lhe dores e incomodações, por certo. Mas, não. Era coisa séria. Tanto que o motivava a ler aquele folhetim insosso, *Bárbara*. Só porque um dos personagens chamava-se... Catarina.

"A velha Catarina tinha um coração de ouro, uma saúde de ferro e estava sempre pronta a prestar qualquer serviço. Não seria possível encontrar na circunferência de dez léguas uma tão boa enfermeira."

Walter pousou o tabloide na mesa de madeira. Levantou a cabeça. Fitou o vazio. Onde estaria Catarina? Não a via desde a sua incursão à casa maldita, no dia anterior, sábado. O que estaria fazendo? Por que não aparecera na sapataria? Será que ele teria de voltar à casa número 27?

Walter suspirou. Consultou o relógio encostado à parede. Nove horas. Tinha combinado de almoçar na casa de Antunes, ali perto, na rua da Figueira. Levantou-se, pegou o chapéu e saiu. Caminhou pouco mais de duas quadras, a Figueira era bem próxima à rua do Arvoredo.

Chegou à casa de Antunes. Abriu o portão de madeira. Foi entrando. Atravessou o corredor comprido que levava aos fundos.

– Ó de casa! – gritou, ao ingressar no alpendre.

– Walter! – Antunes veio sorrindo da cozinha, secando as mãos num pano de prato. Cumprimentou-o, feliz. – O almoço está quase pronto. Vamos ali dentro tomar um *schnaps*.

Subiram os dois pequenos degraus que levavam à sala de jantar. A casa do padeiro Manoel Antunes era confortável, espaçosa, bem melhor do que a maioria daquela região da cidade. Toda construída em madeira e pintada em tons pastéis, tinha dois quartos, um para o casal, outro para os dois filhos. Havia ainda a sala de jantar, a cozinha e a sala de estar. No quintal, distante das peças principais, o pequeno cubículo que servia de banheiro. Muitas residências contavam apenas com um buraco aberto no solo, nos fundos da construção, onde os moradores se aliviavam de suas necessidades fisiológicas. Outras construíam patentes de madeira, os dejetos eram depositados em uma espécie de barril, que, depois de cheio, era esvaziado em algum terreno baldio ou mesmo na rua, enchendo o ar da cidade de miasmas insuportáveis, sobretudo no sufocante calor do verão.

Antunes, assim como Walter, valia-se de uma alternativa mais moderna e higiênica. Eles haviam pago assinaturas pelos serviços dos cabungueiros. Os cabungos eram barris de madeira que serviam de latrina. Uma vez por semana, um funcionário chamado cabungueiro, geralmente um negro, ia às residências que possuíam assinatura, retirava o cabungo e trocava por outro, limpo e desinfetado com creolina. O cabungo cheio era fechado e carregado de carroça até um trem, que o levava até uma volta do Guaíba, onde teria seu conteúdo despejado. Dos vinte mil habitantes de Porto Alegre, onze mil possuíam assinatura dos serviços dos cabungueiros. Walter, homem lido, ciente das novidades europeias, invejava os ingleses, que já dispunham de eficientes e higiênicos sistemas de esgoto, inclusive com modernos vasos sanitários munidos de descargas.

A casa de Antunes se achava bem-provida dos confortos disponíveis à classe média porto-alegrense. A padaria ia bem, e Rosa administrava com competência as despesas da família. Permitira-se, inclusive, o luxo de possuir dois escravos não muito velhos – os escravos mais velhos, evidentemente, eram mais baratos. Os chamados "boçais", recém-chegados do continente africano, também alcançavam menor preço do que os "ladinos", negros nascidos no Brasil, já adaptados à escravidão. Walter, abolicionista convicto, criticou o amigo quando da compra dos dois escravos. Antunes até concordava com ele, mas Rosa exigiu a aquisição dos negros.

A sala de estar em que os dois amigos bebiam agora era ampla e arejada. A janela grande, aberta de par em par, havia sido decorada com uma singela cortina de renda confeccionada pelas mãos hábeis de Rosa. Normalmente as casas tinham poucos móveis. A sala de Antunes podia ser considerada fartamente mobiliada, em comparação com as dos vizinhos. A mesa grande, retangular, dominava o ambiente. No canto, uma mesinha pequena e baixa, que seria ocupada pelas crianças até que completassem quinze anos, pelo menos. Cadeiras em volta da mesa grande, banquinhos sob a pequena e, nas paredes, o orgulho de Antunes: as fotografias. O famoso fotógrafo Manuel de Paula Ramos repetira DeForrest e viera do Rio de Janeiro para fazer retratos pela província. Viera com todo o complicado equipamento, inclusive cenários elaborados. Antunes, Rosa e os filhos foram fotografados em poses diversas, com florestas e montes falsos ao fundo. A que Antunes mais gostava era uma muito em voga: a família inteira dentro de uma canoa, como que em um piquenique.

Walter admirava mais uma vez os trabalhos de Manuel de Paula Ramos, espalhados pelas paredes. Antunes o observava sorrindo. Rosa prosseguia na lida na cozinha. De lá vinha um aroma delicioso e quente, que açulava a fome.

– O que teremos hoje? – Walter esfregou as mãos.

– Hoje, o almoço será dividido em duas partes: uma feita por mim, outra pela Rosa. Preparei uma iguaria que se come na Corte do Rio de Janeiro: passarinhos fritos com bananas!

Walter arregalou os olhos.

– Passarinhos fritos com bananas.

– É. Você vai adorar. Os passarinhos foram caçados pela meninada aqui da rua no Areal da Baronesa. Uma delícia. Temperei-os bem temperadinhos. Enquanto isso, peguei bananas-da-terra, descasquei-as e as abri ao meio. Fritei tudo junto, as bananas e os passarinhos. Com os passarinhos por baixo e as bananas por cima, deitei a guloseima numa travessa e a cobri com pão ralado e açúcar. Divino! A imperatriz dona Thereza Christina quase desmaia quando prova esse manjar dos deuses.

– Acredito – sorriu Walter. – E a Rosa, o que está preparando?

– Arroz com linguiça – Antunes tomou um gole de cachaça. – Veja que falta de imaginação. Mas pelo menos é da linguiça preparada pelo teu vizinho. Uma ótima linguiça.

Walter lembrou de Ramos e o pensamento lhe comprimiu as artérias do coração. Bebeu também ele um trago da branquinha.

Antunes olhou em direção à cozinha, como se temesse que Rosa saísse de lá. Debruçou-se na mesa. Sussurrou:

– Amigo, preciso lhe contar uma coisa.

Walter piscou.

– Que foi?

– É a Rosa – Antunes falou ainda mais baixo, cuidando a porta da cozinha.

– Que é que tem? – Walter modulou a voz à altura da do amigo.

– Acho... – Antunes hesitava. A voz lhe saiu trêmula: – ...acho que ela está me traindo!

– Antunes! – Walter jogou o corpo para trás. Antunes vivia desconfiando de Rosa. Às vezes Walter cogitava de o amigo ter razão, mas quem iria se interessar por Rosa, tão sem atrativos que era? Além do mais, poucas mulheres podiam ser tão antipáticas quanto ela. Mandona, exigente, ambiciosa, vivia torturando o marido para que ele acumulasse mais, aparentasse mais, ganhasse mais e mais dinheiro. Walter a desprezava suavemente. Tolerava-a porque era mulher de seu amigo.

– O comportamento dela anda estranho – Antunes olhava para os lados, aflito.

Walter cruzou os braços:

– E com quem ela poderia estar lhe traindo?

– Aí é que está: é terrível!

Walter olhou nos olhos dele. Viu que o amigo sofria. Teve dó. Colou o peito à borda da mesa. Pegou em seu braço.

– O que é terrível, Antunes, meu velho?

– O linguiceiro!

– Lin... – Walter se sobressaltou. – O açougueiro? Ramos?

– Ele! Ele!

– Mas... – a ideia deixou Walter levemente agastado. Parecia que Ramos e Catarina estavam envolvidos em tudo à sua volta. – Mas como é possível?

– Olha, Walter, ela passa todos os dias no açougue. Todos os dias! Todos os dias nós comemos linguiça. É arroz com linguiça, feijão com linguiça, linguiça com pão, linguiça frita... Hoje mesmo, ela fez questão de fazer linguiça, embora eu já tivesse preparado meu banquete. Quem ia querer comer arroz com linguiça tendo passarinhos fritos na banana?

Walter endireitou o torso. Coçou a parte de trás da cabeça. Limpou a garganta.

– Er... De fato, os pratos que você aprendeu na Corte são magníficos. Mas, precisamos admitir, a linguiça é boa mesmo.

– É, claro que é. Eu adoro. Mas ela vai todos os dias lá. Todos os dias. Eles conversam... E anteontem, meu Deus, apareci de surpresa no açougue e vi o jeito como o Ramos olhava para ela. E ela... Ela ria às gargalhadas! Não sei mais o que fazer!

Walter fez um bico, apertou os olhos. Apertava os olhos ao pensar. Suspirou. Rosa e o açougueiro. Seria possível? Verdade que Rosa não era de muito riso. Era mais de ação. Ela a gargalhar... Curioso. Mas não podia... Claro que não podia. Era impossível. Além do mais, por que Ramos se interessaria por Rosa, se tinha Catarina? Se bem que, Walter compreendia, depois de algum tempo de convivência, os predicados de qualquer mulher se esmaecem, o homem tende a desejar outras, mesmo que as outras não tenham categoria para amarrar a botina esquerda da sua esposa.

– Bom, Antunes – Walter começou a falar, mas não sabia bem o que dizer. Pensou em acalmar o amigo, de alguma forma. Convencê-lo de que suas suspeitas não tinham razão. Pronunciava as palavras devagar, para ganhar tempo. – Essas coisas são complicadas... Delicadas. A gente nunca sabe o que as pessoas estão sentindo... – queria encontrar alguma frase inteligente, que convencesse Antunes e a si próprio. Não precisou procurar muito. Brasiliano irrompeu na sala, ruidoso, Januário atrás, feliz.

– Buenas! Também vou querer uma de canha!

Os amigos sorriram. Januário saltou sobre Antunes. O cachorro adorava aquele gordo. Brasiliano às vezes até demonstrava algum ciúme.

– Acho que esse guaipeca gosta de banha! – desdenhava.

Antunes fazia festa a Januário, abraçava-o e beijava-o.

Naquele instante, a figura miúda de Rosa entrou na sala.

– Não beija o cachorro! Que nojo! – repreendeu a mulher. Carregava uma grande panela de ferro pelas alças. Usava guardanapos de pano para proteger as mãos. Fez a panela aterrissar no centro da mesa.

– Bons dias, cavalheiros – cumprimentou, os olhinhos astutos rebrilhando. Olhou para Walter, olhou para Brasiliano, fez uma careta para

Januário. Já tinha dito a Antunes que detestava cachorro dentro de casa, mas o marido não conseguia reunir coragem para fazer a advertência a Brasiliano. Além disso, ele também adorava Januário. Antunes se levantou, sorrindo:

– Vou à cozinha, buscar os passarinhos fritos na banana!

– Passarinhos fritos na banana? – Brasiliano olhou para Walter.

– Uma iguaria da Corte – sorriu Walter.

– Exatamente! – bradou Antunes. E se foi para a cozinha.

Brasiliano e Walter riram. Antunes voltou com uma travessa fumegante. Depositou-a na mesa, vitorioso. Todos se inclinaram para espiar o conteúdo. Januário latiu, interessado.

– A la pucha! – disse Brasiliano.

– O imperador é louco por isso – assegurou Antunes.

Rosa retirou a tampa da sua panela. A fragrância do arroz com linguiça, o popular arroz de china pobre, fez Walter fechar os olhos e salivar, antecipando o prazer que lhe proporcionaria a comida. Gemeu de satisfação. Brasiliano gemeu também. Antunes olhou meio de lado para o arroz com linguiça.

Walter se lembrou dos tempos de guri em Hamburgo Velho. Seu pai, um alemão sisudo e trabalhador, não permitia que ninguém falasse durante as refeições. O silêncio era absoluto à mesa. No máximo, se ouvia um “passe a água, por favor". Na casa do padeiro Manoel Antunes, a refeição era ruidosa. Januário, sempre ao lado de Antunes, salivava. Rosa começou a servir o arroz com linguiça.

– Os passarinhos fritos na banana são para depois – disse ela.

– O prato principal – concordou Walter, tentando valorizar a comida preparada pelo amigo.

Antunes estava distraído, gritando para que os meninos se sentassem à mesa pequena. Walter experimentou um pedaço da linguiça especial. Nunca na vida provara acepipe semelhante.

16. "Os homens se viciavam depois de uma sessão sexual com a Bronze"

Ao anoitecer, Brasiliano pulou dentro de sua melhor bombacha, encaixou o chapéu de aba larga na cabeçorra, olhou para Januário e gritou:

– A la noche, guaipeca!

Saiu de casa a passo largo, acompanhado de seu companheiro saltitante. Sorria ao pensar que encontraria a Bronze dentro de alguns minutos. Duas horas antes, um menino aparecera em sua casa, na rua da Varginha, dizendo que a Bronze precisava vê-lo ainda aquela noite. Brasiliano deu uma palmada de satisfação em Januário. Era a primeira vez que a Bronze o chamava. Todas as outras vezes ele é que fora visitá-la. Será que ela estava se apaixonando por ele? Gostar dele, Brasiliano sabia que ela gostava. Mas a Bronze não era mulher de se entregar. Não tinha marido, não tinha noivo; tinha homens. Tratava-se de uma mulher celebérrima na cidade. Tanto quanto a baronesa do Gravataí. Cada uma lá por suas razões. Distintas umas das outras, bem-entendido.

A baronesa fora casada com o barão do Gravataí, morto havia dezoito anos. O barão era português, chamava-se João Batista da Silva Pereira. Suas botinas pisaram em solo gaúcho pela primeira vez no começo dos anos 20. João Batista se instalou num terreno situado na Cidade Baixa, à beira do rio Guaíba. Lá construiu um pequeno estaleiro. Que logo cresceu, se tornou poderoso e tornou poderoso João Batista. Aos poucos, o diligente português foi comprando as terras em derredor. Sua propriedade ia até a rua da Margem, assim chamada porque costeava o rio. Estendia-se por uma área tão vasta que os escravos fugidos se homiziavam em seus matos, alimentando-se das frutas silvestres, da caça e da pesca abundantes. E atacando os eventuais passantes para lhes aliviar do peso de suas posses, o que rendeu ao local o sugestivo codinome de Emboscadas.

João Batista levantou um belo e imponente solar em seu terreno. Foi nele que recebeu, em 1845, a visita de ninguém menos do que o imperador Dom Pedro II e a imperatriz Thereza Christina. Tão distinto foi o tratamento dispensado ao casal real, que Dom Pedro decidiu outorgar ao português o título de barão do Gravataí.

As festas no solar continuaram animadas por mais um ano, até que o barão morreu de uma doença misteriosa, ninguém jamais soube precisar o que vitimara um homem tão forte, no vigor de seus 56 anos. Para consolar a viúva Maria Emília, o imperador lhe concedeu o título de baronesa. Desde então, o solar passou a ser conhecido na cidade como o Solar da Baronesa e a propriedade da viúva como o Arraial da Baronesa, sutilmente rebatizado pelo populacho, mais tarde, de Areal da Baronesa, em referência ao seu terreno arenoso.

Pobre baronesa, inexperiente nos negócios, dissipou aos poucos sua fortuna. Dizem que ela mesma mandou atear fogo ao solar, a fim de facilitar o loteamento da área, vendê-la aos poucos e, dessa forma, promover sua salvação financeira. O fato é que nos anos 60 a baronesa continuava ativa e famosa.

Tão famosa quanto a Bronze.

Brasiliano ria ao pensar no apelido da moça. Chamava-se Felizarda, na verdade. Muitos achavam que o Bronze do codinome era devido à sua tez acastanhada, aos seus olhos cor de mel. Brasiliano sabia que não. Sabia que o apelido completo da bela morena era Cu de Bronze, conferido graças aos dotes de suas belas nádegas que ela, aliás, sabia usar muito bem. Os homens se viciavam depois de uma sessão sexual com a Bronze.

Nenhuma cortesã da cidade se comparava a ela. Que não podia ser considerada exatamente uma cortesã. A Bronze escolhia os seus homens. Não eram tantos os que obtinham o privilégio de se cevar em suas carnes morenas, mas esses atingiam o suprassumo do prazer. A Bronze gozava da fama de ser insaciável na cama, além de usar de rara criatividade. Seus amigos íntimos, encantados, sempre lhe mimoseavam com alguma prenda, não raro uma prenda de bom valor. Era uma mulher de variadas artes e profunda ciência. Ciências ocultas, inclusive. Além de ser conhecida como a Messalina de Porto Alegre, a Bronze se tornou celebridade por seus predicados de vidente e cartomante. Assim credenciada, a Bronze via-se frequentada pelos abastados, pelos políticos, pelas damas da sociedade. Diziam que até a baronesa do Gravataí a procurava e lhe pedia conselhos. Havia sempre movimento em sua casa de madeira, na parte alta da cidade.

Quando podia, Brasiliano também passava lá. E era invariavelmente bem-recebido. Conquistara tal privilégio não graças ao seu poder ou volume da conta que tinha no Banco Mauá, mas com a sedução de sua risada franca, de seu bom humor perene e até com as tropelias de Januário. A Bronze adorava cachorros.

Brasiliano ainda não havia contornado o frade de pedra da esquina e já viu que a Bronze o aguardava com a porta aberta, o sorriso alvo cheio de dentes, o queixo erguido, as mãos de dedos longos na cintura.

– Me esperando, morocha? – gritou ele da calçada.

– Você está atrasado – ela riu de volta.

Antes de Brasiliano chegar ao terreno onde ficava a casa, Januário disparou, latindo. Ficou saltitando ao redor da morena, que se agachou para abraçá-lo.

– Januário, seu malandro – ciciou, voz rouca, enlaçando com os braços macios o pescoço do cachorro.

– Acho que tu só me recebes aqui por causa desse guaipeca – riu Brasiliano, agarrando a Bronze pelos ombros redondos, puxando-a para lhe dar um beijo.

– Você tinha alguma dúvida?

Entraram.

– Quer comer alguma coisa? Tomar uma canha? Um vinho?

– Tem aquela linguiça especial do açougue da rua do Arvoredo? Se tem coisa boa, é aquela linguiça. Ontem comi uma na casa do Antunes que até agora lambo os beiços quando lembro dela.

– Vou dizer uma coisa: me sinto mal quando como aquilo. Não sei por quê. Só sei que me dá uma ânsia, um enjoo. Todo mundo adora a tal linguiça, eu não posso ver aquele troço no prato. Mas tenho um queijo do bom. Pode ser?

– Mas bah!

– Então sente aí.

Brasiliano puxou a cadeira de palha trançada e sentou-se à mesa quadrada, de madeira. A Bronze ondulou até a cozinha pequena e de lá voltou carregada. Debaixo do braço esquerdo, um cesto com pão e queijo. Na mão direita, um garrafão de vinho tinto.

– Chamei você aqui porque aconteceram algumas coisas estranhas – a Bronze sentou-se, graciosa.

– Coisas estranhas? – Brasiliano olhava para o pão que cortava com as mãos. A seguir, serviu-se de vinho. – Que coisas?

– O príncipe Custódio me chamou.

Brasiliano levantou os olhos para ela, e em seus olhos agora brilhava um interesse genuíno. Com o príncipe Custódio envolvido, o assunto não devia ser brincadeira. O príncipe Custódio, ou o príncipe Negro, ou o príncipe de Ajudá pertencia a uma família real africana. Sua história era única na triste saga dos negros africanos na América escravagista. Para que sua nação, a nação de Ajudá, não fosse dizimada pelo conquistador branco, ele teria concordado com o exílio eterno. Em troca, os ingleses lhe forneceram remuneração pelo resto da vida. O príncipe se tornou um homem rico nas terras onde seu povo vivia cativo. Estabeleceu-se em Porto Alegre, numa mansão na rua dos Venezianos, e lá vivia com farta criadagem e mais de trinta parentes ou agregados. Expressava-se mal em português, mas falava inglês e francês com fluência. Possuía nove cavalos de raça, tratados com mais desvelo do que recebia a maioria da população da província. Chefe da religião africana, foi o príncipe Negro quem introduziu no Rio Grande a prática do batuque. A Bronze se cevava em seus conhecimentos. Quando ele falava, ela escutava. E aprendia.

– O príncipe... – repetiu Brasiliano, falando para si mesmo.

– Ele. Me falou daquele jeito meio arrevesado dele, ajudado por um intérprete, que algo de maligno está acontecendo nessa cidade. Que a cidade está sendo dominada pelo próprio demônio. Pela besta-fera.

– Nossa...

– Falou que a cidade está devorando a cidade.

Brasiliano cortou com a faca um pedaço do queijo e o levou à boca.

– E o que isso tem a ver comigo?

– Tem a ver que ele disse que um amigo meu corre grande perigo.

– Bueno, tu tens outros amigos, que sei...

– Só que sonhei com você depois de ter falado com ele.

– É? – riu, malicioso. – O que nós fazíamos no sonho? Alguma coisinha boa? Daquelas que só tu sabes fazer?

– Não foi um sonho bom – olhava-o séria, sem nem dar atenção à insinuação. – Quero pôr as cartas pra você.

– Aiaiai, pra que perder tempo? – Brasiliano tomou a mão macia da morena. – Vamos logo ali pro quartinho.

– Não – ela retirou a mão. Levantou-se. Caminhou até uma cômoda, no canto da sala. – Quero ver sua sorte. Não estou com bom pressentimento.

– Que bobiça...

Brasiliano olhou para Januário, ao seu lado. O cachorro estava sentado, olhando fixamente para a fatia de queijo que girava entre os dedos fortes do dono. Seu olhar pidão era comovente. Babava de desejo. Brasiliano estalou a língua. Atirou um naco de queijo para Januário:

– Toma, seu safado interesseiro.

A Bronze sentou-se de volta. Ofereceu-lhe um baralho.

– Embaralha bem – ordenou.

Brasiliano largou o queijo e começou a embaralhar. Januário olhou para o queijo sobre a mesa e suspirou, resignado.

– Pronto – Brasiliano apresentou o baralho de volta à morena.

– Agora corta três vezes na tua direção – ela continuava sisuda, concentrada.

Brasiliano obedeceu. A Bronze tomou as cartas e começou a espalhá-las sobre a mesa, viradas para baixo, em fileiras de sete.

– Vira uma – ainda séria.

Brasiliano virou uma carta da ponta. Ás de espadas.

– Vira outra.

Brasiliano hesitou um segundo. Depois virou a carta contígua ao ás de espadas. Valete de paus.

– Mais uma.

A dama de espadas.

– Mais uma.

Dois de espadas.

Ela levou a mão à boca:

– Virgem santíssima...

– Que é que foi?

Os olhos cor de mel da Bronze fixaram-se nos olhos pretos de Brasiliano.

– Eu sabia! Você é o amigo sobre quem o príncipe me alertou. Você corre grande perigo, Brasi! Grande perigo!

Brasiliano olhou para as cartas na mesa.

– Grande perigo – repetiu ela. – Vire mais duas cartas.

Brasiliano apanhou uma carta distante da fileira que havia escolhido antes, no meio do baralho espalhado. Sete de paus. A segunda carta foi o valete de espadas.

– Minha mãe do céu! – a mão morena da Bronze tomou a grande mão de Brasiliano como se quisesse impedir que ele continuasse.

– Você está no meio de algo muito ruim. Uma mulher. Dois homens. Um homem terrível. É ele. A besta-fera de quem o príncipe me falou. O demônio em pessoa – o olhar dela era aflito. – Cuidado, Brasi. Muito cuidado!

Brasiliano fitou-a por alguns segundos, pensativo. Cofiou o bigodão. Afagou a cabeça de Januário com a outra mão. Deu um tapa na própria coxa.

– Vou tomar cuidado. Prometo. Agora vamos para o quartinho?

17. "Misteriosas feito fantasmas"

Uma martelada no dedão. Mas uma martelada furiosa no dedão. Doía. Latejava. Isso nunca lhe acontecia, Walter estava por demais acostumado a martelar o dia inteiro e manter seu dedão a salvo. Mas não conseguia se concentrar no trabalho, só pensava em Catarina, Catarina, onde estava Catarina, por que Catarina não aparecia na sapataria, Catarina, Catarina, aí, POF!, dedão amassado. Oh, como doía. Walter olhava para o dedão, magoado, e do dedão para a rua. Esperava ver Catarina entrando pelo retângulo da porta a qualquer momento, linda, os olhos verdes ainda mais verdes, a pupila pequeninha à clara luz do sol porto-alegrense. Mas, não. Nada de Catarina.

Em vez da sua amada, duas outras mulheres lhe apareceram, misteriosas feito fantasmas. A primeira foi a criada de Catarina, Emiliana. Walter estava de cabeça baixa, trabalhando, e percebeu que a luz que vinha da porta havia sido barrada por alguém. Levantou os olhos e lá estava a bela mulatinha, fitando-o com olhos arregalados de gazela assustada, os braços ao longo do corpo, as mãos torcendo a barra do rústico vestido de chita que usava. Walter esperou que ela entrasse. Ela não se moveu.

– Olá – disse ele, jovialmente. – Você quer entrar?

Ela continuou imóvel. Walter se levantou. Emiliana recuou um passo, como se fosse desatar a correr. Walter ergueu a mão direita.

– Calma. O que houve? Tudo bem?

– Não! – a voz da criada saiu rouca, desesperada. – Não!

E sem mais falar, virou-se e saiu correndo em direção à casa número 27. Walter ainda foi até a porta da sapataria, chamou-a, mas ela sumiu em definitivo. Por uns cinco minutos, ele permaneceu à soleira, as mãos à cintura, intrigado. O que queria dizer aquilo? Será que a menina tinha algum recado de Catarina? Nesse caso, por que não o repassou? Não!, ela havia gritado, quando ele perguntou se estava tudo bem. O que não estava bem? Ou quem não estava bem? Ela, Emiliana, ou Catarina? Ou ele, Walter? Ou o patrão dela, o açougueiro? Não entendia mais nada.

Não se passou uma hora, e a segunda mulher misteriosa parou diante do balcão. Bela, também. Mas diferente da loirice resplandecente de Catarina e da sensualidade de mulata menina de Emiliana. Morena, alta, busto farto, boca grande e carnuda, olhos... sim, o mais impressionante eram os olhos da morena. Havia inteligência naqueles olhos. Havia personalidade. Não devia ser nada fácil lidar com uma mulher como aquela. Toda a força daqueles olhos...

A morena apoiou as duas mãos no balcão.

– Meu nome é Felizarda – anunciou, a voz límpida e firme.

A Bronze!

Walter esqueceu o dedão ferido, largou o martelo e o pé de moleque no chão. Pôs-se de pé. Apoiou as duas mãos no balcão. Olhou-a com interesse e até com alguma reverência. Sempre quisera conhecer essa personagem. A cidade inteira falava dela, mas ninguém com maior admiração do que seu amigo Brasiliano. Suspeitava que Brasiliano fosse apaixonado pela Bronze.

– Prazer. Meu nome é Walter.

– Eu sei.

Walter levantou as sobrancelhas.

– O senhor é um homem bom – prosseguiu ela. – Mas está muito próximo do Mal. O senhor está invadindo o território do Mal, está mergulhando na maldade. E está arrastando os seus amigos para o Mal também. Eu lhe peço – ela se curvou sobre o balcão e espetou um olhar chamejante no fundo dos olhos amarelos de Walter. – Eu lhe peço, por favor: afaste-se do Mal. Há um homem que pode ajudá-lo.

Walter ouvia boquiaberto. O que ela queria dizer com tudo aquilo? Saberia de algo a respeito de Catarina? Sim, porque Catarina era a única novidade da sua vida pacata, o único fator que poderia, de alguma forma, destoar da absoluta normalidade da sua existência. Mas não era possível. Ele não havia contado a ninguém sobre sua incursão na casa número 27. O que ela queria dizer, então?

– Não entendo. Sobre o que a senhora está falando?

– O príncipe Custódio – falou como se não o ouvisse. – O senhor precisa procurar o príncipe Custódio. Vá à rua dos Venezianos. Diga que o enviei. Por favor. Faça isso. Rápido. Ou será tarde demais.

Walter ia falar, ela não deixou. Estendeu a mão num abano rápido, murmurou até logo e se foi, deixando na sapataria um cheiro doce e um Walter boquiaberto.

– Que coisa... – balbuciou ele, ainda de pé, olhando para a rua.

Sentou-se, enfim. Tentou relembrar o diálogo. O que estava acontecendo? O Mal, o príncipe Custódio. Quanta bobagem. Reconhecia que a presença poderosa da Bronze o havia impressionado, até esquecera da assustada criadinha Emiliana, mas não podia sequer admitir tamanha superstição, não ele, um racional, não ele, um homem do século das luzes e da ciência. Balançou a cabeça, sorrindo. Vai ver aquilo era coisa do Brasiliano. Só podia ser peraltice daquele finório do Brasiliano. Assestou o sapato no pé de moleque para recomeçar o trabalho. Olhou rapidamente para a rua, na ânsia de ver Catarina chegando. Fazia três dias que não a via. O que estaria fazendo? Da rua para o sapato. Outra vez para a rua. E desferiu uma nova e portentosa martelada no dedão.

18. “Repoltreava-se nela, ia embora”

De volta ao seu quartinho nos fundos da casa do açougueiro, Emiliana jogou-se no catre e chorou baixinho. Não queria que Ramos ou Catarina suspeitassem do seu desespero. Poderia ser perigoso. O quarto em que vivia era em tudo simples, porém limpo como uma igreja. A mobília se limitava ao catre estreito onde ela agora abafava os soluços, um triste penico debaixo da cama, uma tina na qual se asseava com critério sempre que findava a tarde de seus sábados solitários, um pequeno baú de madeira com suas poucas roupas e um caixote que sustentava o lampião. Em cima do caixote, além do lampião, seus dois tesouros: o vidro de patchuli que lhe fora presenteado por Catarina e um belo espelho de cabo de madeira negra que ela, num arroubo de vaidade, comprara na Casa Pavão, famosa tabacaria instalada no térreo do não menos famoso edifício Malakoff, chamado orgulhosamente pela população de o arranha-céu da cidade.

Bem, considerar o prédio um arranha-céu talvez fosse certo exagero dos cidadãos porto-alegrenses. A não ser que o céu da capital no século 19 não se elevasse a uma altura maior do que quatro andares. O Malakoff possuía três pisos de pé-direito alto, além do térreo em que estava instalada a Casa Pavão. Ali também havia moradias e escritórios de aluguel. Erguido quase em frente ao local onde estava sendo construído o Mercado Público, o prédio ganhou o apelido por causa de uma torre existente na cidade de Sebastopol, na Rússia. Durante a guerra da Crimeia, a cidade russa de Sebastopol resistiu por quase um ano ao cerco da força inimiga formada por soldados ingleses, franceses e piemonteses. Finalmente, em setembro de 1855, os aliados conseguiram tomar a torre Malakoff, e a Rússia foi derrotada. A torre, até então considerada inexpugnável, foi o símbolo da vitória aliada.

Emiliana pouco se importava com as consequências da Guerra da Crimeia ou com a origem do nome do edifício onde comprara seu espelho. Emiliana apenas chorava em sua cama estreita. Chorava de raiva da própria covardia. Por que não conseguira falar com o sapateiro? Por quê? O medo a paralisara. Sabia que ele era um homem bom, sabia que talvez pudesse e até quisesse ajudá-la. Mas não conseguira sequer entrar na sapataria. Ela se odiava. Como ela se odiava!

Sua vida inteira havia sido assim, de covardia, de inação. Tinha as ideias, mas, na hora de colocá-las em prática, falhava. O medo a fazia desistir. Passara a infância assistindo à mãe trabalhando como escrava numa charqueada de Pelotas, longe de Porto Alegre. O pai, dono da charqueada, simplesmente a desconhecia. Jamais a olhara nos olhos. Mas presenteou-a com a liberdade quando ela veio ao mundo. Ao completar quinze anos de idade, Emiliana decidiu que não aguentava mais aquela vida. Que não suportava ver a humilhação da mãe escrava. Iria sair dali, trabalhar duro, ganhar dinheiro e, em alguns anos, voltar vitoriosa. Mil vezes sonhou com o dia em que apresentaria ao pai a bolsa com as moedas que comprariam a alforria da mãe. Tocou-se para a cidade. Em Pelotas, conseguiu emprego como criada na casa de um rico comerciante e seus dois jovens filhos. Arrumava a casa e ajudava na cozinha em troca de pouso e escassos réis. Vivia num cubículo sob a escada que levava ao segundo andar do sobrado.

Os filhos do comerciante eram conhecidíssimos em Pelotas pela vida boêmia que levavam. As confusões que arrumavam quase semanalmente bem poderiam lhes custar temporadas na cadeia se eles não fossem filhos de um pai rico e poderoso. Três, quatro vezes por semana, Emiliana acordava sobressaltada de madrugada pelas canções e gritos embriagados de um deles ou dos dois juntos.

Certa madrugada, não foram canções que a despertaram. Foi a escorregadia mão do mais velho, um moreno de traços delicados que fazia algum sucesso entre as damas da sociedade local. Ricardo, esse o nome dele, havia afastado as cobertas e enfiado a mão por baixo de sua camisola. Emiliana sentiu o toque, quis gritar, não conseguiu – a outra mão lhe cobria a boca com firmeza. A princípio, não entendeu o que acontecia. Era um sonho? Logo percebeu que, infelizmente, estava acordada e que era Ricardo quem a agarrava. Havia deitado sobre ela, pressionando-lhe as costas com seu peito. A mão direita lhe cobria a boca, a esquerda contornava as coxas e lhe empalmava o sexo. Pensou que fosse uma brincadeira de bêbado, que ele a soltaria em seguida, só que ele não a soltou. Ao contrário, a mão começou a explorar com cada vez mais decisão as suas partes íntimas. Emiliana gemeu, se debateu, mas ele era muito mais forte. Um dos dedos de Ricardo estava agora dentro dela, devastando-a, machucando-a. Emiliana tentou afastar a mão que a violava, mas suas próprias mãos estavam imobilizadas pelo corpo de Ricardo, que pesava sobre ela. Estava indefesa. Fez força. Queria gritar. Mal conseguia se mexer. Sentiu-se molhada por baixo. Seria sangue? Ricardo ofegava e gemia. Não falava nada, apenas ofegava e gemia. Sua respiração azeda de cachaça tornava quente o ar do quarto. Emiliana enjoou, achou que ia vomitar. Por um instante, o que mais a incomodava nem era a mão violadora, e sim o bafo de álcool de Ricardo e a impossibilidade de respirar com liberdade. Ele passou a se mexer, ia e vinha em cima dela. Tirou a mão de dentro de seu corpo. Emiliana ficou aliviada por um segundo. No entanto, ele só queria livrar a mão para baixar as calças. Emiliana entendeu o que ele queria.

Ricardo a possuiu rapidamente, acabando tudo em estocadas breves, fazendo Emiliana lembrar das vezes em que vira os touros cobrindo as vacas nas estâncias próximas à charqueada onde sua mãe trabalhava. Depois de se aliviar, Ricardo levantou-se, puxou as calças, afivelou o cinto. Emiliana continuou deitada de bruços, gemendo baixinho. Ricardo sentou-se na beirada da cama, recuperando a respiração. Deu-lhe dois tapas rápidos nas nádegas.

– Se você contar pra alguém, mato-a a paulada – advertiu, antes de ir-se embora.

Emiliana não contou para ninguém. No dia seguinte, Ricardo a olhou como se nada houvesse acontecido. Chamava-a badalando um sininho de bronze, como fazia todos os dias. Pedia um copo de licor. A caixa de charutos. Era o patrão dando ordens impessoais à serviçal.

Uma semana depois, Ricardo voltou. Emiliana acordou quando a porta se abriu. Não tentou reagir. Deixou que ele puxasse os cobertores, levantasse sua camisola e a penetrasse em silêncio, com a mesma brevidade da outra vez. Ricardo continuou visitando-a duas ou três noites por semana. Emiliana sentia vontade de se queixar para o patrão, mas o aviso de Ricardo a intimidava:

– Mato-a a paulada!

Ele nunca falava nada. Nem antes, nem durante, nem depois do ato. Chegava, repoltreava-se nela, ia embora. No dia seguinte, o silêncio.

Emiliana pensava em encontrar alguma alternativa, alguma saída, quando, num sábado, Ricardo entrou no quarto acompanhado do irmão, Alberto, um pouco mais baixo e encorpado do que ele. Era um homem peludo, forte, de mãos ásperas e dentes estragados. Emiliana tinha medo de Alberto.

– Hoje você vai ter que trabalhar em dobro – anunciou Ricardo, sorrindo com malícia.

Emiliana serviu aos dois e, daquela vez, a coisa durou muito mais tempo.

Nas noites seguintes, ela foi usada alternadamente pelos dois irmãos. Ora um, ora outro. Agora, as violações demoravam muito mais, talvez porque um se sentisse estimulado pela presença do outro. Os dois se sofisticavam nas sevícias. Obrigavam-na a tudo. A fazer de frente, de trás, a fazer de todas as formas. Quando chegava a noite, ela ia para o seu quartinho sob a escadaria e esperava. Sabia que eles viriam. Esperava-os já nua, porque uma vez, estando eles um tanto mais embriagados, quase lhe rasgaram a camisola. Eles vinham, possuíam-na, e só depois Emiliana conseguia dormir. Como chegassem de madrugada, às vezes de manhã, Emiliana dormia pouco. Passou a cambalear de sono pela casa. O patrão já começava a reparar.

Até que ela não aguentou mais. Uma tarde de domingo, quando os dois irmãos estavam fora e ela se achava sozinha com o patrão, foi procurá-lo. Estava decidida a denunciar os violadores. Ele se encontrava no escritório, fazendo a contabilidade de suas duas casas de fumo.

– Seu Felicíssimo, com licença? – achegou-se ela, de olhos baixos.

– Entra, Emiliana.

Emiliana tinha ensaiado aquela fala uma centena de vezes, mas agora tudo era diferente. A maldita covardia! Simplesmente não conseguia dizer o que queria. Ficou gaguejando:

– Eu... eu... eu...

Até que o patrão perdeu a paciência. Falou, alto, quase gritando:

– Desembucha, menina!

Assustada com o tom seco do patrão, ela realmente desembuchou. Falou tudo numa catadupa de palavras.

– Os meninos, seu Felicíssimo, os meninos, o Ricardo e o Alberto. Não aguento mais, seu Felicíssimo, o senhor desculpe, seu Felicíssimo, desculpe, mas não aguento mais. Eles vêm todas as noites, todas as noites. Me ocupam. Fazem... aquelas coisas. Me obrigam a fazer coisas. Eu não posso mais, seu Felicíssimo, não posso mais. Tenho sono todos os dias, seu Felicíssimo, está me prejudicando no trabalho, ontem mesmo quebrei um vaso ali no corredor. Puro sono, seu Felicíssimo. Culpa deles, dos meninos, diz pra eles pararem, seu Felicíssimo, por favor...

Enquanto ela falava, Felicíssimo largou o charuto no cinzeiro. Levantou-se. Caminhou rapidamente até ela. Sem uma palavra, interrompeu-a com duas bofetadas. Emiliana calou-se, espantada. O patrão a tomou pelo braço, puxou-a com violência até a mesa e, sempre em silêncio, afastou com uma braçada os papéis que vinha analisando até então. Uma mão de aço pressionou a nuca de Emiliana e empurrou-a para a superfície da mesa, até que ela amassasse o rosto no tampo. A outra mão levantou-lhe o vestido, rasgou-lhe as roupas íntimas. O patrão a violou rápida e ferozmente como Ricardo fizera da primeira vez. Emiliana gritou. Gritou como nunca havia gritado. O patrão não se importou. Terminou o que fazia, levantou as calças. Emiliana escorreu até o chão, chorando, sentindo um gosto de sangue na boca – decerto uma das bofetadas lhe ferira o lábio, pensou, entre soluços. Depois de novamente instalado atrás da grande mesa, Felicíssimo levou o charuto à boca outra vez e sentenciou, calmamente:

– Nunca mais fale mentiras sobre os meus meninos – e, baixando a cabeça para os papéis contábeis das casas de fumo, ordenou: – Volta ao trabalho.

Emiliana não voltou ao trabalho. Arrastou-se até o seu quartinho sob a escadaria, reuniu seus parcos pertences e, com o dinheiro que havia ganho na casa do comerciante, tomou naquele dia mesmo o vapor para Porto Alegre.

Achou que tivera muita sorte quando, um par de dias após chegar à capital, conseguiu empregar-se como criada na casa do açougueiro Ramos. Mas não fora sorte, não. Ao contrário. Agora, Emiliana vivia aterrorizada. Algo de muito terrível acontecia naquela casa, ela sabia. Seu mal-estar começou com o hábito da patroa, dona Catarina, de fechá-la à chave todas as noites, no quartinho dos fundos. Emiliana achava estranho aquilo. Não era uma escrava. Queria dispor de suas noites, mesmo que fosse perigoso sair à rua, mesmo que não tencionasse sequer sair do quartinho. Não adiantava. A tarde se esvaía no rio escuro, e Catarina ordenava:

– Emiliana, vá para o seu quarto.

Ela ia, cabisbaixa. Mal entrava e já ouvia o ruído da chave na fechadura. Presa. Mesmo assim, ouvia os estranhos sons produzidos à noite naquela casa. Os gritos da patroa, vozes de homens desconhecidos, pancadas, atividades que se estendiam por toda a madrugada, invadindo a manhã. Às vezes, Catarina mandava que limpasse enormes manchas de sangue na sala de jantar.

– É de uma galinha mal morta, que saiu pela casa espirrando sangue – explicava, tão somente.

Emiliana tinha medo sobretudo do patrão. Embora Ramos jamais houvesse lhe lançado um olhar concupiscente, como os antigos patrões ou muitos dos homens que a viam carregando baldes d'água do chafariz da praça da Matriz, Emiliana se arrepiava cada vez que ele a olhava. Ramos era silencioso, sinistro. Seu porte formidável já era o suficiente para torná-lo ameaçador, mas ainda havia aqueles olhos. Olhos duros, olhos malignos. Emiliana não podia olhar para aqueles olhos. Foram aqueles olhos, mais do que quaisquer palavras, que a obrigaram a depositar seu filho na Roda dos Enjeitados. Emiliana não sabia, como podia saber? Chegara a Porto Alegre grávida. Por alguma razão, desenvolvera a certeza de que o pai era o próprio comerciante Felicíssimo.

Catarina ficara furiosa ao descobrir que sua criada estava prenha. Escondeu-lhe a barriga com roupas largas, afastou-a dos olhares da vizinhança. Depois, a própria Catarina encarregou-se de aparar a criança. O parto havia sido fácil, em poucos dias Emiliana já estava de pé, trabalhando. Então, Ramos parou diante dela, gigantesco, e ordenou:

– Hoje à noite, você vai à Santa Casa, colocar essa criança na Roda.

A ordem quase fez Emiliana desabar ali mesmo, diante do açougueiro, aos prantos. Verdade que ela mesma já havia cogitado da hipótese de levar o menino à Roda. Porque, ela sabia, não teria condições de criá-lo. Era sozinha no mundo, não possuía recursos, a criança passaria fome. O mais sensato seria depositá-lo na Roda. Mas era vasta a distância entre ter a ideia e ver-se forçada a executá-la. Naquele momento, Emiliana sentiu todo o amor pelo filho lhe queimar o peito, lhe fechar a garganta. Odiou o maldito açougueiro. Ia obedecer, não havia como não obedecer. Mas, silenciosamente, jurou vingança. Ramos continuava parado na frente dela, esperando por sua concordância. E ela concordou, muda, num triste aceno de cabeça. Em seguida, foi para o quartinho, com o filho apertado contra o peito. Não podia mais fitar os diabólicos olhos do açougueiro. Odiava e temia aqueles olhos. Sobretudo depois do que descobrira. Era isso que a deixava em pânico. Era isso que a fizera procurar o sapateiro.

A descoberta se deu nos dias em que ela se recuperava do parto. Catarina não trancara a porta, temendo que Emiliana necessitasse sair do quartinho para alguma emergência. Alta madrugada, Emiliana foi acordada por um barulho no pátio. Normalmente, talvez não despertasse, mas agora dormia em semi-vigília, por causa do bebê. Sem acender o lampião, ela escorregou até a janela. Pelas frestas da persiana, viu que o patrão abria um grande tonel que ficava no fundo do quintal, sob uma cobertura de madeira, uma espécie de galpão sem portas. Lá, Ramos depositava o conteúdo de um saco de aniagem. Emiliana ficou intrigada. Por que ele fazia aquilo de madrugada? Não dormiu mais. Esperou por uma hora, até ter certeza de que todos dormiam na casa. Abriu a porta do quartinho. Arrastou as chinelas até o pequeno galpão em que estava o tonel. Teve alguma dificuldade para abrir a pesada tampa de ferro, ainda mais no seu estado delicado. Bastou uma fresta, porém, para que ela recuasse, horrorizada. Emiliana deparou com uma esbranquiçada caveira humana mergulhada num líquido denso. Ácido. Certamente ácido fosfórico, como já vira na charqueada onde a mãe mourejava. Era um produto usado na limpeza pesada, mas que, com a concentração adequada, servia para dissolver qualquer coisa. Podia dissolver inclusive... ossos humanos.

Esforçando-se para não correr dali aos berros, Emiliana retornou ao quarto e passou a manhã abraçada em seu bebê, rezando. Não entendia exatamente o que significava aquilo, mas compreendia que era algo muito ruim. Algo criminoso. Algo que só podia estar relacionado com o porão ao qual ela não tinha acesso. Quando Catarina a contratou, advertira com seriedade, apontando para a porta do porão:

– Você não deve nunca entrar aqui. Entendeu? Nunca!

Emiliana nunca entrou. Mas agora ia entrar. Precisava. Queria descobrir tudo o que se passava naquela casa para poder, enfim, contar ao sapateiro. Primeiro, havia planejado ir à polícia. Até que testemunhou a visita do chefe Dario Callado ao açougue. Emiliana varria o chão e viu perfeitamente quando Callado cumprimentou Ramos com entusiasmo. Eram amigos, não havia dúvida. A cena a abateu. Achou que talvez o chefe de polícia viesse investigar o que acontecia na casa. Nada disso. Minutos depois, chegou a ouvir uma nesga de conversa:

– Você é o meu melhor informante. Conto com você.

Ramos, então, era informante da polícia. Não havia saída.

Emiliana já pensava em fugir novamente, em esconder-se em outra cidade, quando, algumas noites antes, foi acordada pela voz da patroa. Catarina falava com alguém na porta que dava para o pátio. E não era com o patrão. Estremunhada, Emiliana acendeu o lampião, achando que Catarina talvez precisasse dela. Espiou mais uma vez pela persiana e, após acostumar-se com a escuridão, reconheceu o sapateiro esgueirando-se pelo quintal, subindo o muro, fugindo. Emiliana sentou-se na cama, boquiaberta. Será que o sapateiro e a patroa eram amantes? Só podia. Essa novidade se convertia num trunfo para ela.

O sapateiro parecia uma boa pessoa, todos na região gostavam dele, achavam-no honesto. Um homem direito. Ou seja: Emiliana poderia confiar nele. E se o sapateiro estava agora prevaricando com Catarina, isso queria dizer que ele era potencialmente um inimigo de Ramos. Logo, o sapateiro certamente a ajudaria. O pensamento havia inflado Emiliana de esperanças. No entanto, no momento de falar com o sapateiro, ela fraquejou. Pensou que ele não acreditaria nela, uma reles filha de escrava. Lembrou-se do olhar maligno de Ramos, de seu filho depositado na Roda dos Enjeitados, do antigo patrão que a violara, tudo isso lhe veio à cabeça num redemoinho de cenas de pesadelo, e ela, simplesmente, entrou em pânico. Por isso agora chorava de bruços no catre. Não aguentava mais ser covarde. Não suportava mais sentir medo. Decidiu que voltaria a procurar o sapateiro. Só que com mais provas. Iria ao porão proibido. Descobriria o que acontecia naquela casa. E então contaria tudo ao sapateiro. Sentou-se na cama. Enxugou as lágrimas. Suspirou. Não esperaria mais. Ainda essa noite, desceria ao porão da casa de José Ramos.

19. “Rua dos Pecados Mortais”

Quando Brasiliano limpava as botas pretas, Januário já se assanhava todo. Balançava o rabo, arfava, saltitava em volta do dono, excitado. Sabia que botas sendo limpas significavam rua.

Terminada a limpeza, Brasiliano se ergueu. Sorriu, contemplando o trabalho reluzente. Olhou para Januário. Entoou seu grito de guerra de todas as noites:

– A la noche, guaipeca!

Januário latiu de volta, em assentimento. Foram-se os dois, marchando pela rua da Varginha. Caminharam um tanto, dobraram à direita. Mais um pouquinho e ingressaram na rua do Arvoredo. Foi bom a Câmara dos Vereadores ter feito aquela passagem, que ligava as ruas. Recurso inteligente. As cidades brasileiras não eram comandadas por prefeitos, como em outros países do mundo. O poder executivo ficava a cargo da Câmara de Vereadores, e Brasiliano achava que tudo ia muito bem assim.

A rua do Arvoredo era fartamente arborizada, como o nome sugeria. Para sorte dos moradores e transeuntes. Porque, nos dias de chuva, a água escorria da parte alta da cidade e transformava a rua em um lamaçal. A situação só não ficava pior porque as grandes raízes das árvores sugavam a água em profusão e tornavam o local razoavelmente transitável.

Fazia semanas que não chovia em abundância. Brasiliano, dentro de seu par de botas, e Januário, sobre suas quatro patas macias, ambos marchavam sem maiores dificuldades pela rua que ora se alargava, ora se estreitava. Chegaram ao costado da igreja Matriz, que ficava lá em cima, na praça. Brasiliano se benzeu. Sabia que ali estavam sepultados centenas de corpos de seus conterrâneos. O costume nacional de fazer cemitérios nos solos das igrejas começava a ser debatido em todo o país. Era insalubre, argumentavam os médicos e técnicos do governo. Em 1846, o conde de Caxias, então presidente da província, teceu um relato acerca do cemitério da Matriz:

"À porta da sacristia fechada, há cadáveres de escravos mal-amortalhados e fuçados pelos cães. O lugar está apinhado de cadáveres, cuja exalação, tão sensível ao olfato em dias calorosos, é quase suficiente para pejar o ar de partículas deletérias".

Ainda assim, as famílias católicas insistiam em enterrar seus mortos nos campos-santos das igrejas.

O cemitério da Matriz fora fechado havia uns dez anos, substituído pelo novo, no Alto da Azenha. Mas Brasiliano continuava se benzendo.

À sua esquerda, ficava a casa do amigo Walter. Januário arfou, contente, e derivou para a sapataria. Brasiliano o chamou de volta:

– Agora nós não vamos visitar o Walter, Januário. Agora nós vamos pra perdição!

E riu da própria troça.

Alguns metros adiante, na frente da casa número 27, Januário estacou novamente. Apontou o focinho para o jardim. Começou a latir, furioso. Brasiliano parou.

– Que foi, Januário?

Olhou para o terreno penumbroso, os arbustos malcuidados, as árvores sinistras. Tudo escuro. Na frente do terreno, o açougue com as portas fechadas dando para a rua. Escuro também. Januário rosnava e latia. Teria alguém em meio às sombras do jardim? Brasiliano cofiou o bigode.

– Impressão – concluiu. – Vamos embora, Januário!

E seguiu adiante, com Januário desconfiado nos seus calcanhares.

Mais uma dúzia de metros e Brasiliano passou pelo antigo Beco do Cemitério, venceu uma elevação e enveredou à direita na rua dos Pecados Mortais. Que, oficialmente, se chamava rua do Arroio, devido a um estreito fio d'água que ali corria. O nome rua do Arroio, entretanto, só era usado pela Câmara de Vereadores. Aquela via, curioso, tinha três nomes. Na primeira quadra, ladeira acima, logo após a rua do Arvoredo, o povo a conhecia como rua do Nabos a Doze. Por causa do dono da quitanda diante da qual Brasiliano passava naquele momento. Brasiliano fitou a porta fechada da quitanda. Imaginou se o Nabos a Doze não estaria se refestelando numa das casas de tolerância, lá em cima. Resolveu que, na manhã seguinte, voltaria para comprar a famosa dúzia de nabos por um vintém. Brasiliano gostava muito de sopa de nabo.

No fim da quadra, chegou à rua Formosa. Que não levava esse nome em vão. Lá do alto, a vista era linda. Via-se o rio imponente, dominando a cidade. Brasiliano cruzou a Formosa e ingressou no trecho da Arroio chamado rua do Jogo da Bola. Havia sido a choldra que frequentava o boteco do Antônio do Jogo da Bola que dera tal nome àquele naco da rua. Esse jogo se constituía numa espécie de bocha, praticada todos os domingos no terreno do bar do Antônio, principalmente pelos descendentes de imigrantes alemães, apreciadores do esporte. Brasiliano era muito amigo do filho do bodegueiro, o Antônio Corneta. Provavelmente, ele o encontraria no beco do Céu, tomariam umas que outras e dariam gostosas risadas juntos.

Brasiliano agora descia a lomba da rua do Arroio, em direção à rua da Praia, a mais importante da cidade. Chegou, enfim, à região que o interessava, a rua dos Sete Pecados, uma referência às sete casinhas da quadra e aos hábitos mundanos das suas moradoras. As mulheres faziam o *trottoir* descarado entre as carroças, os cavalos e os transeuntes. Por alguns tostões, ofereciam seus corpos malcuidados, murchos, gastos devido às noites indormidas e ao excesso de álcool. Trajavam vestidos feitos de panos baratos, algumas usavam toucas na cabeça, as mais afortunadas calçavam sapatos com fivelas.

Brasiliano conhecia todas. Com quase todas já se deitara, de algumas contraíra doenças venéreas, como a terrível blenorragia. Isso apesar dos cuidados que tomava. Depois do sexo, procedia como o recomendado para expulsar do corpo a contaminação – urinava com três jatos fortes, às vezes quatro. Sentia-se limpo, então. Pena que nem sempre dava certo. Será que seu jato não teria sido forte o suficiente?

Sentia as virilhas comichando de desejo, queria uma morena grande, tipo a Bronze. Na verdade, queria a própria Bronze, mas não podia ser muito assíduo com ela. O acordo implícito entre os dois consistia em amizade leal e sexo ardente, o amor não entrava na pauta. Ou entrava? Brasiliano já não tinha muita certeza. Quanto a ele, pelo menos, não tinha. Se tivesse de ficar com uma mulher, que fosse a Bronze. Disso sabia. E quanto a ela? Será que sentia o mesmo por ele? É, pensando bem, Brasiliano não tinha muita certeza.

Seguia pensando nessas questões quando Januário começou a latir para o outro lado da rua.

– Que foi, Januário? – perguntou, lançando o olhar para onde o focinho do cachorro apontava. Viu uma figura conhecida. E surpreendente.

O que Catarina estaria fazendo naquele antro?

20. "Primeiro, a machadada"

O cachorro. Por que o maldito cachorro resolvera incomodá-la essa noite? Catarina suspirou, vendo Brasiliano e Januário atravessarem a rua inapelavelmente, caminhando na sua direção. Havia uma hora, o cachorro já percebera sua presença, no jardim da casa da rua do Arvoredo. Catarina tinha se refugiado atrás de uma árvore. Ficara esperando alguns minutos, até que o anspeçada e o cachorro tivessem se afastado. Não queria que Brasiliano a encontrasse na rua àquela hora. Sabia que ele e Walter eram amigos. Se Brasiliano a visse, ia contar para Walter, e o que Walter pensaria? Que ela era uma mulher da vida, como as outras que por ali transitavam? Seria o fim de todos os seus sonhos. Estava decidida a mudar, a começar nova vida. E Walter havia sido incluído nessa nova vida. Não podia permitir que ele descobrisse sobre suas aventuras noturnas.

Aquela noite seria a última que atrairia carne para o açougue de Ramos. Prometera isso a si mesma. Havia se fartado do desgraçado. Ele estava fora de controle. Era sempre assim. Com o homem que tivera antes de Ramos, o açougueiro alemão Carlos Claussner, havia sido igual. No começo, Claussner era apaixonado, lhe fazia as vontades, tratava-a como uma princesa. Catarina lhe apresentara um mundo de prazer que ele jamais conheceria com outra mulher, disso ela tinha absoluta certeza. De repente, Claussner começou a achar que poderia tomar decisões por ela. Que mandava nela. Que poderia, inclusive, se repoltrear com outras mulheres. Idiota. Claussner não passava de um fraco. Catarina havia ficado com ele só por causa do açougue, que rendia um bom lucro e poderia lhe garantir um futuro sem as atribulações de seu doloroso passado.

Um dia, Claussner chegou em casa embriagado e metido a valente. Catarina preparava-se para dormir. Cheirando a suor e a cachaça barata, ele a procurou. Catarina se esquivou, disse que ia se deitar. Claussner insistiu, tentou levantar a camisola dela. Catarina o afastou mais uma vez, insultou-o, mandou que fosse chafurdar com as vagabundas com quem ele andava nas últimas semanas. Furioso, endemoniado pelo álcool, Claussner a espancou. Moeu-a a socos e pontapés. Catarina ficou uma semana de cama e mais quinze dias coberta de hematomas. Durante esse período, Claussner, torturado pelo remorso, cobriu-a de atenções e mimos. Catarina aceitou as desculpas dele em silêncio ressentido. Mas estava resolvida. A história com Claussner havia acabado naquela noite.

Ao conhecer Ramos, viu ali um homem decidido. Um forte. Ramos fora policial e, pelo que ela compreendia, ainda tinha ligações com o chefe de polícia. Isso o tornava o homem mais poderoso que ela conhecera até então. Além disso, Ramos estava acostumado a submeter os outros homens à sua vontade, fosse unicamente pela ameaça velada que havia em seu olhar de fogo, fosse pelo peso de seu braço. Para arrematar, ele era destituído de qualquer barreira feita de escrúpulos. Nada que Catarina propusesse parecia escandalizá-lo. Foi fácil fazê-lo se apaixonar. Depois, foi ainda mais fácil instigá-lo a matar Claussner e tomar o açougue. Ramos procedeu de uma maneira que, depois, se tornaria método: primeiro, a machadada fendendo a cabeça da vítima ao meio; depois, a degola a facão. Por que insistia em lhes abrir a garganta? Não era necessário. Era nojento. Era pessoal demais. Ramos precisava tocá-los para fazer aquilo, o que deixava Catarina arrepiada de asco. Catarina detestava as degolas.

A ideia de converter o corpo de Claussner em linguiça, quem teve foi ele, essa maldade não poderia ser debitada na conta de Catarina. A princípio, parecia nada mais do que uma solução engenhosa e até debochada de se livrar do corpo. A carne seria consumida pelos fregueses, os ossos ele os diluiria no ácido usado para a limpeza do açougue. Mas Ramos se deixou enfeitiçar por aquilo. Catarina admitia que sentia prazer em ver os habitantes de Porto Alegre comendo-se uns aos outros e ainda elogiando o sabor da linguiça, sobretudo os abastados, a gente da alta classe, os políticos, os padres. Só que Ramos ficara obcecado com a coisa. Catarina não tinha certeza se devido ao prazer que ele sentia em sacrificar os homens que chamava de seu gado, ao gosto com que praticava toda a operação, ou se por causa da simples e vulgar ganância. O dinheiro o enlouquecia. Ramos gastava com luxos que jamais tivera. Comprara duas sobrecasacas, alfinetes de prata para enfeitar as gravatas, chapéus, charutos, bengalas e perfumes, muitos perfumes. De quando em quando, saía de casa vestido como se fosse o próprio conde D'Eu, que meses atrás contraíra núpcias com a princesa Isabel. E ia aos espetáculos do Theatro São Pedro. Às peças, aos concertos de flauta e harpa, às óperas. Ramos era louco por música. Dizia que a música o purificava. Fazia questão de ir ao São Pedro sobretudo depois de executar um de seus bois. A todo momento pedia que Catarina caçasse mais homens, mais e mais. No começo, ela sentia prazer em se entregar à luxúria do gado de Ramos, enquanto ele apreciava tudo do compartimento secreto. Depois cansou. Todo o sangue. Toda a violência. Toda a ostentação inútil. Não suportava mais.

Homens... Catarina não tinha boas experiências com os homens. Era filha de alemães. Nascera na Transilvânia, na época território húngaro. Durante a invasão russa, completara quatorze anos. Era bela, começava a ter consciência da própria beleza, de seu efeito sobre os homens. E a despertar para o sexo, para o poder que o sexo lhe conferia.

A chegada dos russos mudou tudo. Aquele dia se tornou brumoso em sua lembrança. A soldadesca arrombando as portas das casas da aldeia, destruindo o que encontrava pela frente. De repente, estavam dentro da sua casa. Seus pais e seus irmãos sumiram numa nuvem de violência, de punhos fechados, solas de botas, baionetas caladas.

Catarina foi arrastada para o quarto. Teve as roupas arrancadas. Gritava e gritava, implorava por piedade. Os soldados a estupraram, um depois do outro, metodicamente. Os gritos de Catarina os excitavam ainda mais, ela percebeu. E percebeu, também, que havia sobrevivido graças a sua beleza, ao prazer que podia proporcionar aos machos. Isso lhe deu uma sensação de poder, de prazer, de orgulho, até. Mas também lhe infiltrou na alma grande dose de culpa. Ela sobrevivera. Todos que amava morreram num único dia.

Durante dois anos, Catarina vagou pelas ruas, catando comida do lixo, dormindo nos montes de feno. Só pensava nos pais e nos irmãos mortos, sentia raiva de si mesma por estar viva. Mas, aos poucos, o instinto de sobrevivência foi se mostrando mais forte. Catarina compreendeu que o sexo era seu grande trunfo. E que precisava de um homem para seguir em frente.

Aos dezessete anos, casou-se com o cardador de lã Peter Palse, um rapaz tímido, trabalhador e perenemente angustiado. A vida de Catarina melhorou, mas não o suficiente. Não tanto quanto desejava. Convenceu o marido a emigrar para o Brasil. Queria tentar a sorte na América. Ter uma casa sua. Quiçá, enricar. Tomaram um navio cheio de outros alemães que também sonhavam com nova vida e novo mundo.

Durante a viagem, Peter atirou uma corda curta por cima de uma porta, subiu em um banquinho e se enforcou. Catarina jamais descobriu a razão que levou seu atormentado marido a suprimir a própria vida. Talvez ele não estivesse pronto para suprir as exigências dela. Talvez ele fosse simplesmente um covarde.

Chegou à Província de São Pedro sozinha.

Houve outros homens antes de Ramos, claro, mas nenhum com tanto ímpeto e tanta energia. Ímpeto e energia que agora se tornaram inconvenientes. Devia se livrar dele. Devia ficar com Walter. Walter era o homem por quem procurava. Um homem diferente de todos os outros. Com Walter, ela poderia ter prazer sem culpa. Com Walter, poderia construir um lar, uma família, poderia dar-lhe filhos, viver uma vida normal. Walter era seu futuro e sua redenção.

Olhou para Brasiliano, que se aproximava encarando-a febril de curiosidade. Maldito anspeçada, maldito cachorro. Não antipatizava com Brasiliano, mas agora teria de dar um fim nele. Nada iria estragar sua nova vida ao lado de Walter.

– Dona Catarina! – Brasiliano a saudou com ar inocente, um meio sorriso que devia parecer infantil, mas por trás do qual Catarina antevia toda a malícia. – A senhora por aqui?

Catarina controlou a raiva momentânea. Sorriu de volta.

– Olá, querido.

Brasiliano cofiou o bigode.

– Querido? A senhora nunca me chamou de querido antes.

– Hoje é diferente. Querido.

– Diferente? Por quê? – Brasiliano estava à vontade. Estava no seu ambiente.

– Hoje eu quero fazer coisas diferentes.

Catarina deu um passo na direção dele. Ficaram a dois palmos de distância.

– Que tipo de coisas, Catarina?

Ela notou que ele havia retirado o "dona" do tratamento. Já se sentia confiante, o otário. Como os homens são inocentes. Como é fácil iludi-los. Por sexo, fazem tudo, cometem qualquer loucura, se arriscam, perdem, literalmente, a cabeça.

A ironia de os homens perdendo a cabeça por ela a fez sorrir sutilmente. Desprezava esse tipo de homem. Submetê-los ao machado de Ramos era um prazer. Uma vingança suprema. Esse tipo, Brasiliano, não era distinto dos demais. Ali estava ele, à cata de sexo pago, ansioso para se refocilar nas carnes podres de alguma prostituta. Dentro de 24 horas, estaria bem temperado com sálvia e pimenta-do-reino. Catarina o observou de cima a baixo. Um homem grande. Renderia dezenas de quilos de linguiça especial.

– Digamos: coisas... – respondeu ela, caprichando no duplo sentido das reticências. – Estou sozinha hoje. Ramos foi a São Leopoldo fazer um negócio. O senhor quer me acompanhar até minha casa para conversarmos melhor, tomar um café?

Brasiliano cofiou o bigode. Sorriu.

– Vai ser um prazer.

– Então, vamos.

– Vamos, vamos.

Saíram os dois, lado a lado, rua dos Pecados Mortais abaixo, em direção às sombras da rua do Arvoredo.

21. "A porta proibida"

Emiliana abriu cuidadosamente a porta do quartinho. Desde que tivera seu nenê, Catarina não a encerrava mais. Seria algum tipo de solidariedade feminina? Ou apenas descuido? De qualquer forma, sua nova liberdade serviria para descobrir o que acontecia na casa e se vingar do açougueiro. Fechou a porta devagar. Não fez ruído algum. Desceu os três degraus altos de tijolo que ficavam à porta do quarto. Ganhou o quintal. Avistou, na outra ponta do terreno, o sinistro tonel que agora a enchia de terror. Seguiu em frente, pé ante pé, desviando-se dos arbustos, do mato que jamais fora cortado, do lixo todo que os patrões relaxados deixavam atulhando o caminho. Chegou à porta da cozinha. E se estivesse trancada? Teria de voltar e esperar nova oportunidade. Isso a afligia. Nos dias seguintes, Catarina talvez voltasse a passar a chave na porta do seu quartinho. Então ela seria obrigada a proceder suas investigações durante o dia, o que seria muito mais perigoso. Não tinha a menor dúvida de que algo muito ruim aconteceria com ela se Ramos a flagrasse no porão. Além do mais, não queria prolongar sua estada naquela casa. Não, não, a porta tinha de estar aberta.

Experimentou o trinco.

Aberta.

Emiliana sorriu. Levou a mão ao peito, satisfeita e nervosa. O coração ribombava no peito, furioso. Entrou na cozinha. Encostou a porta com o máximo de suavidade. A casa estava às escuras. Depois da cozinha, ela teria de atravessar o corredor, que levava a novos corredores, onde ficavam os quartos. Calculava que os patrões estivessem ali. Chegaria, então, à sala de estar e, finalmente, à porta que conduzia ao porão.

Foi em frente devagar, experimentando cada passo, deixando que seus olhos se acostumassem à escuridão. Ao passar pelo corredor que dava para os quartos, ouviu som de passos. Passos pesados, nervosos. Ramos. Acordado, ainda. Devia desistir? Devia voltar para o seu quarto? Parou, hesitante. O coração lhe batia na garganta. Chegou a girar a cintura para retornar à segurança de seu quartinho, mas no mesmo instante censurou-se pela covardia. Não! Não seria mais covarde. Desta vez, agiria. Seguiria em frente.

Seguiu.

Tateando no escuro, usando a parede como referência, ela atravessou o corredor, entrou na sala, passou pela grande mesa de jantar, caminhou mais alguns passos vacilantes e chegou ao seu objetivo.

A porta proibida.

Levou a mão ao trinco de bronze, um trinco em forma de pata de leão. Abriu a porta. Piscou. Diante dela, uma comprida escada de madeira que descia até a escuridão. Suspirou. A angústia lhe oprimia o peito. Mas tinha decidido. Seria corajosa. Agora que estava lá, não teria motivo para voltar atrás. Desceria aquelas escadas. Virou-se. Levou a mão trêmula ao trinco. Empurrou a porta para fechá-la. E, desta vez, achou que fez algum ruído. Não teve o mesmo cuidado de antes. Sobressaltou-se. Levou a mão ao peito. Ficou alguns segundos escutando, angustiada. Só ouvia seu sangue latejando na cabeça. Virou-se novamente. Desceu o primeiro degrau.

22. "O Robin Wood dos Pampas"

Um, dois, três, quatro, cinco.

Meia-volta.

Um, dois, três, quatro, cinco.

Meia-volta.

Um, dois, três, quatro, cinco.

Ramos cobria a distância do quarto em cinco dos passos de suas longas pernas. Andava de um lado para outro, ansioso, mãos às costas. Gostava de caminhar enquanto pensava. Quanto tempo fazia que Catarina havia saído? Hora e meia, talvez duas. O açougue precisava se reabastecer para uma encomenda feita pelo novo clube da cidade, o Leopoldina Juvenil. Haveria uma grande festa no próximo mês. Ramos teria de produzir muita linguiça, trabalhar duro durante semanas, mas ganharia um bom dinheiro.

Dinheiro.

O dinheiro se tornava cada vez mais importante em sua vida. Ramos sempre fora pobre. Seu pai, Manoel Ramos, havia nascido na Província de São Pedro e servira na cavalaria de Bento Gonçalves durante a Guerra dos Farrapos. Em meio à luta, porém, desertou, cansado que estava das degolas, do sangue, dos sacrifícios impostos aos combatentes. Fugiu para Santa Catarina e montou uma venda de secos e molhados na ilha do Desterro, lugar tão belo quanto precário.

A venda mal permitia o sustento de Manoel, a mulher e os três filhos, o mais velho deles batizado de José. As privações eram muitas. A casa onde viviam não passava de uma choça imunda. Suas roupas, de tão velhas, se reduziam a trapos. José e seus irmãos andavam descalços. Nos rigorosos invernos da ilha, tiritavam de frio.

À noite, Manoel contava histórias da guerra para os meninos. José se encantava com as descrições das degolas dos inimigos capturados, pedia que o pai as repetisse e, ao dormir, sonhava com as cenas de sangue e crueldade.

Foi certamente para suportar a vida insossa naquela ilha esquecida por Deus no sul do Brasil que Manoel passou a beber. Todos os dias exagerava na canha, batia nos filhos, batia na mulher, gritava impropérios e ameaças. Uma noite, furibundo, avançou contra a mãe. Espancou-a com violência. José assistia à cena. Pedia ao pai que parasse com aquilo. O pai não parava. José pulou sobre ele. Lutaram. O filho deu de mão numa faca de churrasco e enfiou quinze centímetros da lâmina afiada no corpo do pai. Passados dois dias, Manoel morreu. O filho parricida fugiu para a Província de São Pedro.

Em Porto Alegre, José Ramos sentou praça como soldado da polícia. Dono de grande força física e alguma argúcia, saiu-se bem na função. Tornou-se homem de confiança do chefe de polícia da província, o nordestino Dario Callado. Executava as funções consideradas de risco. E sempre a contento. Além disso, era um dos poucos policiais da cidade perenemente atento aos movimentos dos negros, pormenor deveras apreciado por Callado. Ramos não permitia que negros ou pardos andassem nas calçadas ao lado dos brancos. Exigia que os cadáveres dos cativos fossem logo retirados das ruas para serem sepultados, o que se tratava de uma medida higiênica – amiúde, quando um escravo morria, seu relapso proprietário se livrava do corpo simplesmente rojando-o em algum terreno baldio perto de casa, como se fosse lixo. Orientado por Callado, Ramos procurava o dono, pedia que recolhesse o defunto, que lhe providenciasse um sepultamento cristão.

A carreira policial de Ramos trilhava por um caminho ladeira acima, até que ele deparou com Domingos José da Costa, o célebre Campara, chamado "o Robin Wood dos Pampas". Como Ramos, Campara nascera em Santa Catarina. Assaltava o grande comércio e as casas dos nababos da região serrana de Lages. Depois, distribuía parte da féria entre os pequenos agricultores dos altos da serra do rio do Rastro. Sua fama se espalhou pelo Sul do país. Caçado sem tréguas pela polícia catarinense, homiziou-se na Província de São Pedro, onde continuou a trajetória de filantropo fora da lei. Foi então que o nome de Campara se transformou em lenda.

Ao entardecer de cada dia, os moradores das cidades da província se reuniam nas calçadas com suas cadeiras. Sentavam-se a sorver chimarrão. Para se distrair, contavam histórias uns para os outros. De preferência, histórias de terror.

Como as da voz misteriosa.

Um caixeiro havia chegado cansado a um lugarejo do interior. Ao pedir pouso, o dono da única estalagem do lugar lhe informou que não havia mais vagas. Só restara um quarto tido e havido na região como mal-assombrado. O viajante sentia mais cansaço do que superstição. Arrostou:

– Não tenho medo de assombração.

O estalajadeiro tornou a advertir:

– Muita gente se assusta.

– Não tenho medo!

Pois bem. O estalajadeiro cedeu o quarto ao caixeiro. Minutos depois, o viajante entrou no quarto, asseou-se e se preparou para dormir. Estava se deitando quando uma voz tenebrosa brotou de algum lugar no teto:

– Olha que eu caaaaio...

O caixeiro, assustado, procurou quem falava. Não havia ninguém. A voz repetia:

– Olha que eu caaaaio...

Ao que o caixeiro replicou:

– Então cai!

E, de algum ponto indistinto do teto, caiu um braço. O caixeiro olhou para o braço inanimado no assoalho de madeira, mas não fez sequer menção de afastar as cobertas aconchegantes. Nenhum fantasma iria lhe roubar o sono aquela noite. Assestou a cabeça no travesseiro. Já ia dormir, indiferente ao braço no chão do quarto, quando a voz, de novo:

– Olha que eu caaaaio...

– Pois cai! – desafiou o caixeiro desassombrado.

E de algum lugar desabou uma perna.

Nem assim o homem se deixou levar pelo pânico. Relaxou. Tentou dormir. Então:

– Olha que eu caaaio!

– Cai, desgraçado! Cai!

Outra perna veio sabe-se lá de onde.

Assim prosseguia a história. O narrador gesticulava, os ouvintes sorviam o mate em silêncio. As crianças captavam nesgas do conto sentadas no chão, em volta das cadeiras, os olhos redondos de espanto. Para elas, os adultos sempre reservavam os casos da Mão Preta.

À noite, a Mão Preta se arrastava pelas casas feito uma tarântula, subia nos peitos das crianças, esganava adultos que haviam praticado maldades. De onde vinha a Mão Preta, o que era, por que fazia o que fazia, isso ninguém explicava.

Havia ainda o famoso caso da serpente que mamava leite humano. Um caso verdadeiro, juravam. Ocorrido numa dessas colônias alemãs. A jovem dona da casa dera à luz recentemente. Depois do almoço, o marido voltava para a roça, ela tirava a mesa e amamentava o nenê. Amamentava sempre sentada na varanda, encostada confortavelmente na parede da casa. Enquanto o nenê se alimentava, ela aproveitava para tirar a sesta. Mal sabia que, acampanada em algum desvão do pátio, a serpente a observava. Assim que a mulher dormia, a serpente se movimentava. Rastejava solertemente até ela. Contraindo os poderosos músculos do corpo, escalava os degraus, alcançava a mãe adormecida. Com todo o cuidado, a cobra afastava a criança do seio, abocanhava ela própria o mamilo e enfiava seu rabo na boca do nenê. A criança ficava mamando no rabo, a serpente no seio. Essa operação se repetiu por semanas. A criança emagrecia sem que os pais entendessem o porquê. Uma tarde, o homem voltou mais cedo para casa, por um motivo qualquer. Deparou com a cena horrenda: a serpente enroscada entre sua mulher e seu filho, sorvendo o leite que seria da criança, logrando a mãe adormecida. Pé ante pé, ele foi para dentro da casa. Retornou com um facão. A cobra, pressentindo o perigo, tentou saltar para a segurança do mato. Mas o homem foi mais rápido em sua fúria para proteger a família. De um golpe, dividiu a cobra em duas. Do corpo ondulante espirrou leite em quantidade suficiente para amamentar um bezerro, molhando tudo e todos em volta.

Incrível, incrível.

Agora, ninguém podia duvidar do ocorrido com aquele sujeito que caminhava solitário por uma dessas estradas poeirentas do interior. Chovia e trovejava, o homem estava encharcado até a medula. Lá adiante, numa curva distante do caminho, surgiu um carroção funerário, negro e sombrio, puxado por uma parelha de cavalos baios. O caminhante fez sinal para que o carroção parasse. Havia dois homens na boleia.

– Bons dias. Podiam me dar uma carona?

– Só tem lugar lá atrás – e o condutor apontou com o dedo para a carroceria.

– Não tem problema.

O homem foi para a parte de trás do carroção. Aboletou-se. Lá encontrou um grande, negro e acolchoado caixão de defunto vazio. Como estava frio e ele se sentia cansado, pensou ser aquele um local quente e confortável o suficiente para ele repousar, embora reconhecesse que era também um tanto funesto. Acomodou-se no caixão e dormiu profundamente.

Meia hora depois, novo caminhante fez sinal na estrada. O carroção parou.

– Carona?

– Só tem lugar com o outro, lá atrás – respondeu o condutor.

Com o outro. O caminhante considerou um tanto sinistro ter que viajar na companhia de um morto. Mas não havia alternativa. A estrada era erma, o carroção fora o primeiro veículo que passara em horas.

Aceitou.

Embarcou nos fundos do carroção e seguiu viagem. Durante longos quinze minutos, ficou observando o corpo do outro, assaltando-lhe de vez em quando a desagradável impressão de que ele se mexera, ou que respirava. Aquilo lhe dava arrepios.

Então, o primeiro viajante despertou.

Piscou os olhos, sentou-se no caixão, olhou para seu companheiro de viagem e cumprimentou:

– Como vai?

O homem não esperou o carroção parar. Saiu correndo pela estrada, aos berros, e só parou para contar o caso na cidade mais próxima.

Histórias da Província de São Pedro. Entre essas, poucas eram tão apreciadas quanto as do Campara, o justiceiro dos oprimidos, o Robin Wood dos Pampas. O Campara caminhava pelos telhados das casas, silencioso como se tivesse os pés almofadados do gato; o Campara iludira um pelotão inteiro da Força Policial que o cercara quando do assalto a uma fábrica de chapéus; o Campara escapara por milagre dos soldados depois de preso e bem-manietado. O Campara distribuíra o produto de um roubo milionário numa vila paupérrima. O Campara salvara uma família da fome com a doação de uma carga surrupiada de uma caravana de carreteiros. O Campara era o herói dos descamisados da Província de São Pedro.

Mas um dia o Campara foi enfim preso, em Santa Maria, e mandado para Porto Alegre.

Uma noite em que estava só, cuidando da cadeia, Ramos decidiu conhecer o preso famoso. Queria olhá-lo na cara, ver de onde vinha toda aquela esperteza. Reconhecia que talvez a celebridade do outro o incomodasse. Um fora da lei, um ladrão vulgar, era amado pelo povo. Por que aquilo?

Ramos parou diante da porta gradeada. Levantou o lampião, iluminou a figura sentada no fundo da cela. Campara ergueu a cabeça, os olhos piscos. Ramos se deteve alguns segundos, observando. Não conseguia distinguir com clareza o rosto do outro, imerso na escuridão. Enfiou a chave na porta da cela. Abriu, fazendo retinir a grande chave contra a fechadura. Entrou. Campara se aprumou no catre, na defensiva. Ramos parou à soleira. Caminhou dois passos. Descansou o lampião no assoalho da masmorra.

– Então você é o famoso Campara – comentou, mãos à cintura. – Não parece grande coisa.

Campara suspirou, como se a frase do carcereiro o tivesse desanimado. Não disse palavra.

O silêncio do preso irritou Ramos.

– Pra mim você é um bosta! – berrou.

Campara se encostou na parede, tenso, procurando demonstrar serenidade. Nem sequer olhou para o policial.

– Um bosta! Está ouvindo?

Olhos fechados, Campara dava a impressão de estar dormindo.

– Estou falando com você, seu bosta! Está me ouvindo? Seu bosta! – Ramos agora estava quase que sobre o Campara, gritava a meio metro do ouvido do bandido, os perdigotos lhe saíam da boca e respingavam no outro, que não mexia um músculo.

– O que você acha disso? – berrou ainda mais Ramos, sacando a adaga da cintura, brandindo-a diante do rosto do preso. Queria fazê-lo reagir. Queria que o Robin Wood da província mostrasse o quanto era covarde. Que implorasse por sua vida. – Que tal se eu te abrisse a garganta agora, seu bosta?

Nada. Nenhuma reação.

O desdém do assaltante foi-lhe aumentando a raiva, de tal forma que logo Ramos já estava em estado de fúria absoluta.

– Desgraçado! – urrava. – Desgraçado!

Tomou os cabelos de Campara com a mão canhota, derrubando-o do catre, colocando-o de joelhos no chão da cela. Puxou a cabeça para trás, como faziam os degoladores na Guerra dos Farrapos, preparou-se para lhe rasgar um talho de orelha a orelha. Campara agora não estava mais indiferente. Olhos arregalados, a boca muito aberta, em pânico, antevendo a morte certa, sentindo já a lâmina que se lhe encostava no pescoço e lhe dilacerava a carne, sentindo o sangue que brotava. Campara não hesitaria em suplicar por clemência se desconfiasse que isso seria o suficiente para deter o carcereiro. Ia realmente gritar, ia se humilhar, quando uma mão salvadora segurou o braço do verdugo.

– O que é isso, Ramos???

Dois policiais tinham ouvido os berros do lado de fora do prédio. Na porta da cela, um grupo de populares assistia à cena, olhos arregalados de pavor. Campara ficou caído ao solo, em estado de choque, com o pescoço sangrando, mas vivo.

Havia testemunhas demais. Ramos foi banido da Força. Continuou fazendo bicos como informante de Dario Callado, submeteu-se a prestar servicinhos de segunda categoria, como espancar negros desobedientes ou dar lições em adúlteros. Até conhecer Catarina. Ela mudou sua vida. Com

Catarina, Ramos ingressou num mundo completamente novo. Um mundo de perigo, de prazer e também de dor. Foi Catarina quem lhe apresentou o açougueiro Carlos Claussner, na época seu amante. Em dois meses, Ramos aprendeu o ofício de açougueiro e passou a se cevar ardentemente nas carnes tenras de Catarina. Que fêmea! Cada vez mais, Claussner estava sobrando naquela história. Foi nele que Ramos usou pela primeira vez o machado, seguido da degola a facão. Um fim rápido e preciso. Ramos tomou posse do açougue. E de Catarina.

A questão do corpo de Claussner, como dar sumiço no cadáver do açougueiro, foi que lhe inspirou a preparar a linguiça especial. Ramos havia esquartejado o cadáver e pensava na maneira de se livrar das partes quando lhe veio a ideia de transformá-las em linguiça. Era genial. Perfeito. Além disso, saber que toda aquela chamada gente bem da cidade comeria carne humana e se transformaria em canibal lhe dava enorme prazer. Ramos finalmente se vingava de todas as privações que havia passado em sua vida. Descarnou o cadáver de Claussner, fez a linguiça e a expôs no açougue. Para sua imensa surpresa, a linguiça foi um sucesso. Ramos a oferecia às pessoas, elas levavam para casa e voltavam ao açougue, comentando a delícia que era a linguiça, perguntando onde eram criados os porcos abatidos para confeccioná-la. Porcos, agora veja. Ramos considerou interessante essa informação. Provou ele próprio da linguiça, depois de fritá-la com banha. Cortou um naco de três dedos de largura, espetou-o no garfo e provou, de pé, na cozinha, assistido pela curiosidade verde-azulada do olhar de Catarina.

– Que tal? – ela quis saber.

E Ramos, olhando para o teto, saboreando:

– Parece porco mesmo...

O que mais haveria de comum entre porcos e seres humanos?

Enfim, Ramos percebeu que poderia amealhar um lucro bem razoável com aquele novíssimo negócio. E estava ganhando dinheiro mesmo. Tudo com relativa segurança. Não havia corpos. A carne era comida pela cidade, os ossos ele punha a diluir lentamente em ácido fosfórico. Nas vezes em que o ácido lhe faltou, ele enterrou os ossos no quintal, mas assim que tivesse tempo os desenterraria e os dissolveria no tonel.

Para o sumiço de Claussner, Ramos deu a explicação de que o açougueiro se mudara para o Uruguai. Explicação perfeita: o próprio Claussner andara comentando pela cidade que tinha vontade de se mudar para Montevidéu. Os outros, ninguém os tinha visto entrando na casa número 27. Os únicos problemas eram o tal alemão Rech e o magricela Duarte. Alguém os vira perambular pela rua do Arvoredo. Ruim. Péssimo. Mas o pior era o caso do tal Rech. Um alemão. O consulado da Prússia devia ter pressionado o chefe de polícia. Menos mal que Dario Callado confiava nele. Pediu que ele, Ramos, ficasse atento a qualquer movimentação estranha nas imediações. Teria de tomar mais cuidado. Justamente agora... agora poderia enriquecer. Aquela Rosa, a mulher do padeiro Antunes, ela é que lhe franquearia os salões da burguesia porto-alegrense, ela é que lhe encheria a bolsa de contos de réis. Com o rendimento da padaria de Antunes, somado ao do seu açougue, Ramos poderia enfim frequentar os saraus requintados e apreciar a música que tanto amava, a música que o levava às lágrimas nos espetáculos do Theatro São Pedro. A música, sim. Quem sabe Ramos pudesse comprar um piano inglês, incrustá-lo no meio da sala, como já tinha visto nas casas dos ricos. Quem sabe ele até aprendesse a tocar. Sorriu com a ideia. Imaginou-se músico, participando de uma das apresentações do maestro Mendanha no São Pedro.

Mas, para isso, teria de dar cabo do padeiro gordo. Não seria difícil. Tinha tudo planejado. Atrairia Antunes para a sua casa, lhe fenderia a testa com o machado, o converteria em linguiça da boa. Passados alguns dias, casaria com Rosa. Também essa parte do plano estava bem amanhada. Meses antes, conseguira se aproximar de Rosa, valendo-se da ganância da mulher. Toda vez que ela ia ao açougue, Ramos comentava acerca de sua própria prosperidade, de como o açougue ia bem, das oportunidades que surgiam. Rosa se deliciava com assuntos financeiros. Falava da padaria, sobre os progressos que também ela e Antunes faziam, apesar da natureza pouco ambiciosa do marido.

Ramos não alimentava a menor dúvida: se providenciasse o desaparecimento do padeiro, em breve casaria com ela e tomaria conta da padaria. Catarina? Sem problemas. Continuaria morando na casa da rua do Arvoredo sob seus auspícios, seria sua teúda e manteúda. Estava tudo muito bem-alinhavado na sua cabeça.

Aliás, Catarina. Quem será que Catarina traria para alimentar o fio de seu machado? Quem seria o boi daquela noite? Ramos achou que ela demorava demais. Mantinha os ouvidos atentos a qualquer movimentação na casa. Assim que percebesse Catarina entrando com o gado, se enfiaria no armário e ficaria esperando. Sabia que, minutos depois, assistiria à loira sendo possuída por um estranho. Após a sessão de luxúria, Ramos desceria ao porão pelo compartimento secreto que ficava atrás do armário. A partir daí, era só esperar o sinal de Catarina, a batida do garfo contra o vidro do copo. E o alçapão seria acionado. A ideia já lhe rendia uma certa excitação.

Então ouviu um ruído estranho, vindo de dentro de casa. Parou de andar pelo quarto. Aguçou o ouvido. Prestou atenção. Não tinha dúvida. Alguém abrira a porta que levava ao porão.

23. “Entravam nus nas águas do oceano”

Cheirosa. Ela provavelmente tomava banhos. Não era um hábito muito comum. Todos sabiam que banhos faziam mal para a pele, eliminavam a oleosidade natural que protegia a epiderme. Muitas doenças eram atribuídas ao excesso de banhos.

O amigo Walter tinha o costume de se banhar todos os sábados. Contara-lhe inclusive que na Europa os médicos receitavam banhos de mar, que coisa tão estranha. Fazia uns dez anos que esses banhos esquisitos eram moda no Velho Continente. Os europeus branquelas chegavam à areia, tiravam a roupa e entravam nus nas águas do oceano. Os homens numa praia e as mulheres em outra, claro. Se bem que, segundo Walter, os franceses, sempre eles, haviam inventado recentemente trajes especiais para banhos de mar. O das senhoras se constituía em uns calções de lã e uma blusa negra que lhes descia abaixo dos joelhos, apertada por um cinto de couro; o dos cavalheiros se resumia a uma espécie de macacão listado de marinheiro. Assim, franceses e francesas podiam compartilhar dos banhos marítimos, algo que Brasiliano julgava apenas modismo passageiro.

Já Walter estava realmente habituado aos banhos. De tina, não de mar. Mas Walter era um homem diferente, Brasiliano sabia. Walter gostava de ler, de ficar em casa, não procurava as chinas nem em caso de extrema secura. Um homem diferente. Porém, amigo exemplar. Não existia amigo como Walter. Por ele, Brasiliano matava ou morria. Banhos, no entanto, se situavam acima da sua capacidade de sacrifício. Banho, uma vez por mês, quando muito. Mas aquela loira, ah, ela era adepta de banhos, com certeza. O cheiro que emanava dela era cheiro de banho. Podia não ser saudável, mas era agradável, Brasiliano precisava admitir. Dava vontade de agarrá-la ali mesmo, na rua do Arroio, quem sabe valer-se da escuridão de algum beco próximo. Brasiliano imaginou-se possuindo-a de pé mesmo, ela encostada na parede, ele forcejando, penetrando-a, rasgando-a ao meio.

Mas não. O melhor mesmo era ir para a casa dela. Fazer a coisa com calma. Refocilar-se naquelas carnes brancas, de preferência na cama do casal. Esse era um detalhe indispensável: na própria cama do casal. Oh, como Brasiliano ia ficar feliz de cornear o açougueiro.

Não gostava nada de Ramos. Um tipo belicoso. Sabia que havia sido policial, algo assim. Um mal-encarado, mal-humorado. Como descobrira aquela pedra preciosa no meio do pedregulho da província, isso é que Brasiliano não conseguia explicar. Bem, agora estava prestes a se transformar num cornudo clássico, e isso é que importava.

Olhou mais uma vez para Catarina. Sorveu

o cheirinho fresco dela. Como havia sido fácil... Sempre cobiçara essa mulher. Os amigos Walter e Antunes volta e meia também elogiavam o andar dela, seus olhos claros, seus lábios carnudos, seu cabelo fino. O que ela estaria fazendo ali? Seria a primeira vez que percorria a rua dos Pecados Mortais? Teria ela saído de casa especialmente para chifrar o açougueiro? Brasiliano chegou a se empertigar de contentamento ao conceber essa ideia. Tinha lógica. O açougueiro a tratava mal, e, numa noite em que ele ia pousar fora, ela resolveu sair para se vingar. Quem sabe até... Brasiliano levantou as sobrancelhas. Quem sabe até ela o seguira, a ele, Brasiliano! Claro! Olhou para Januário, que caminhava ao seu lado. Era isso que Januário pressentira no jardim lá embaixo, na rua do Arvoredo: ela estava escondida entre as árvores, esperando Brasiliano passar para segui-lo! Era isso! Sim! Era isso! Ela sempre o desejara, e nessa noite teve a oportunidade. Estava decidida a trair o açougueiro com ele! Lembrou-se da teoria do amigo Antunes a respeito das loiras, que, segundo ele, transformariam a província num continente de cornos irremediáveis. Por Deus, Antunes tinha razão. Quem poderia confiar numa alemoa dessas? Olhou para ela. Enviava-lhe um sorriso cativante, de fazer eriçar todos os pelos do seu basto bigode. O recado do sorriso era claro: pecado! Ela queria pecar. Que noite o aguardava! Que noite! Precisava contar aquilo ao Walter. No dia seguinte, a primeira coisa que faria seria ir à sapataria do amigo para relatar sua aventura.

24. “Um vulto saiu de trás de um grande plátano”

O anspeçada maldito nunca mais vai voltar a falar com o Walter, prometeu Catarina a si mesma, enquanto enviava a Brasiliano o sorriso mais cativante do seu estoque. Notou que o sorriso surtiu efeito. Teve até a impressão de que o bigodão do outro chegou a tremer. Ficava a cada dia mais enojada com a tolice dos homens. Só pensavam em fornicar. O único homem realmente diferente que havia encontrado era Walter.

Por Walter, deixaria aquela vida. Jurara que só ia enviar mais uma única vítima para Ramos. Por ironia, a vítima seria um dos amigos do seu Walter. Catarina suspirou. Walter sentiria a perda, claro, mas era necessário. Como ficar com ele se o maldito anspeçada começasse a contar histórias a respeito dela? Liquidar o anspeçada tornara-se indispensável. Para arrematar, pediria a Ramos que carneasse o cachorro também. Cachorro alcaguete, desgraçado.

Já estavam perto da rua do Arvoredo. Mais um tantinho, e seria o fim do anspeçada fofoqueiro. Nesse meio tempo, resolveu aproveitar para saber um pouco mais a respeito do seu Walter.

– O senhor é muito amigo do sapateiro, não é?

Brasiliano a encarou, surpreso. Teria ele desconfiado de algo? Bem, que desconfiasse. Não iria ter muito tempo para fazer conjecturas mesmo.

– É meu melhor amigo, de fato.

– Hmmm... E que tipo de homem ele é?

– Como assim?

– É boa pessoa? É honesto? Pergunto isso porque estou sempre levando sapatos para o conserto. Não sei se posso confiar no preço dele ou se devo procurar outro sapateiro.

– Aaaah... – o anspeçada pareceu aliviado. – A senhora pode ter toda a confiança. Não existe nenhum sapateiro como ele na cidade, ninguém é tão competente e honesto. Pode confiar!

Catarina sorriu, encantada com a ingenuidade de Brasiliano. Dobraram a esquina da rua do Arvoredo, enfim.

Então, um vulto saiu detrás de um grande plátano plantado a alguns metros da esquina e avançou na direção deles.

25. "Um conto de duas cidades"

"– Patriotas! – clamou Defarge, com determinação. – Estamos prontos?

"Os homens, terríveis na ira sanguinária com que olhavam pelas janelas, municiaram-se de todas as armas que possuíam e acorreram ao chamado. As mulheres, contudo, constituíam uma visão capaz de gelar o sangue dos mais audaciosos. Abandonaram as tarefas domésticas que a extrema pobreza lhes impunha, deixaram os filhos, os pais velhos e os enfermos, que jaziam nus e famintos no chão duro, e precipitaram-se, com os cabelos desgrenhados, apressando umas às outras e a si mesmas, beirando a loucura com seus gritos e modos selvagens..."

A descrição de um dos atos da Revolução Francesa feita por Charles Dickens era um primor, mas Walter não conseguia se concentrar no livro recentemente traduzido para o português. Fechou o volume. Deitou-o na mesa de madeira. Afastou com o braço o lampião a óleo de baleia sob cuja luz lia *Um conto de duas cidades*. Olhou em volta da sala, inquieto demais para ler.

Catarina.

Só pensava em Catarina. Por que ela sumira? Era evidente que sentia algo por ele. Evidente, também, que não se tratava de amor o que a ligava ao açougueiro Ramos. Estranho... Algo terrível estava acontecendo na casa ao lado, ele tinha certeza disso. Precisava descobrir o quê. Precisava! No dia seguinte, chamaria um mandalete. Enviaria um bilhete a Catarina, pedindo que ela entrasse em contato com ele. Uma operação arriscada, ele tinha consciência de que era arriscada. Mas tinha também necessidade quase física de ver Catarina, de esclarecer aqueles mistérios todos de uma vez. Se o açougueiro interceptasse o bilhete... Bem, teria que enfrentar esse perigo. Valia a pena. Por Catarina, tudo valia a pena. O que será que ela estava fazendo naquele momento? Dormindo, certamente. Embora... Walter não compreendia exatamente por que, mas algo lhe dizia que Catarina continuava acordada àquela hora. Talvez até pensando nele.

26. "Uma lufada pútrida"

Emiliana desceu com dificuldade a escadaria de madeira que levava ao porão. Um degrau. Depois outro. Um. E outro. Apoiava as mãos nas paredes. Experimentava cada degrau com a ponta do pé antes de sustentar o peso do corpo nele. Os degraus rangiam acusadores, de uma forma que, Emiliana achou, bem poderia despertar a cidade inteira. Suspirou, resignada. Agora ia prosseguir. Chega de covardia!

A escadaria não tinha fim. Quantos degraus já teria descido? Vinte? Quarenta? Devia ter contado. Seus olhos já estavam acostumados à escuridão, ela se sentia mais segura a cada passo. Enfim, a descida terminou. Havia uma outra porta antes de ela chegar ao porão propriamente dito. Se estivesse trancada, Emiliana voltaria para seu quartinho. Isso era certo!

Experimentou o trinco da porta. Estava aberta. O que a aguardaria?

Ao dar o primeiro passo para dentro do porão, Emiliana foi recebida de golpe por uma lufada pútrida. Chegou a cambalear. Levou a mão à boca. Tossiu. A náusea quase a fez vomitar.

– Jesus Cristo! – exclamou.

Devia ir em frente? Teria condições? Claro que teria. Claro. Não ia recuar agora. Mas precisava de algo que lhe iluminasse o caminho. O porão era muito escuro, muito atulhado de objetos, ela certamente iria tropeçar em algo se não tivesse um lampião. Olhou em volta. Havia uma mesa, alguns metros à frente. Caminhou até ela.

Um passo.

Outro.

Mais um passo, cuidando de experimentar o terreno com o pé. Outro. Apoiou-se nas bordas da mesa. Uma mesa grande e retangular, pesada, de madeira espessa. Emiliana sentiu algo que passou diante de seu rosto. Moscas. O local estava infestado de moscas. Cristo, o que acontecia naquele lugar imundo?

Sobre a mesa havia cutelos, facas, facões, um machado. A madeira do tampo estava manchada e um pouco úmida. Emiliana entendeu que era ali que Ramos preparava os cortes de carne que vendia. Por que não fazia o trabalho nos fundos do açougue, como qualquer outro açougueiro? Na ponta da mesa, um objeto quase a fez sorrir: uma vela! Emiliana acendeu-a. A luz da chama revelou bem mais do lugar. O chão de terra batida estava lodoso. O cheiro terrível se tornava cada vez menos suportável. Emiliana respirava pela boca. Compreendeu que não conseguiria ficar ali por muito mais tempo. Encostado à parede, um grande baú açulava sua curiosidade. Caminhou até ele. Levantou a pesada tampa com alguma dificuldade. O conteúdo a fez estremecer.

Sapatos. Sapatos de homem. De todos os tamanhos. Um par de coturnos pequenos, já usados. Chinelas. Tamancos. Camisas de homem pequenas demais para serem de Ramos, pares de calças, uma sobrecasaca. Dois chapéus de pano preto, copa baixa; um chapéu de cor parda; um freio de metal com rédeas e cabeçada com prata; sete pães de sabão; dois pares de suspensórios.

O coração de Emiliana batia forte. Ajoelhada no chão de terra, a mão esquerda segurando a vela, a direita remexendo no baú, ela tentava compreender. Aqueles eram pertences de outras pessoas. Outros homens. Onde estariam os homens apartados de seus bens? Lembrou do tonel com ácido no pátio. Da caveira humana. Sentiu uma rápida vertigem. Jesus Cristo! Jesus Cristo!

Tinha de sair dali. Tinha de fugir imediatamente daquele porão infecto, daquela casa maldita. Era o que ia fazer. Sim! Nem voltaria para o seu quarto. Sairia imediatamente pela porta da rua. Não fazia ideia de onde passaria a noite, mas não seria ali, naquele inferno. Procuraria o sapateiro. Bateria à porta da casa dele, contaria o que viu, pediria guarida. Se o sapateiro não lhe ajudasse, sairia pela noite, se enfiaria num canto qualquer, dormiria debaixo de uma árvore, qualquer coisa, mas ali não continuaria. Iria embora já. Levantou-se, decidida.

E viu a figura imponente de Ramos observando-a com interesse, a dois metros de distância.

27. "O vulto emergiu das sombras"

Catarina estacou na esquina escura da rua do Arvoredo com a rua do Arroio.

Brasiliano estacou também.

Januário latiu com força e disparou em direção ao vulto que saía detrás do plátano.

– Januário! Januário!

Voz de mulher!

Catarina piscou. O vulto emergiu das sombras das árvores e ingressou na pálida luz emitida por um dos distantes lampiões a óleo de baleia.

Mas era uma mulher mesmo! Que agora se agachava, acariciava o cachorro, abraçava-o.

– Januário! Januário! – saudava a outra, com óbvia intimidade.

– Bronze! – exclamou Brasiliano, a voz modulada por um misto de alegria e surpresa.

Então, essa era a Bronze, a mais famosa puta da cidade. Diziam que era feiticeira também. Que encantava o homem que quisesse.

Catarina já a tinha visto descer a rua da Praia, ondulando as ancas fartas, mas nunca assim tão de perto. Analisou-a. Bonita, não havia dúvida. Uma morena de beleza vigorosa, resplandecendo de saúde. Sua pele luzia, seus dentes brancos brilhavam no escuro, a massa negra de cabelo desabava com graça pelos ombros cor de chocolate.

Catarina sentiu uma fisgada de inveja no meio do peito. Aquela mulher significava problemas, isso era certo. Cogitou de imediato se Walter a conhecia. Se a conhecesse, certamente a desejaria. Catarina sabia reconhecer rivais de peso quando encontrava com uma.

A morena se levantou. Alta. Mais ou menos da mesma altura de Catarina, o que significava que ambas excediam em muito a estatura média das mulheres da província. Os olhos cor de mel da Bronze se fixaram no verde dos olhos de Catarina. Encararam-se. A morena a desafiava. Catarina sustentou o olhar.

– Boa noite – cumprimentou-a, tomando a iniciativa.

– Boa noite – respondeu a Bronze, sorrindo de leve agora. Haveria ironia naquele sorriso?

– Escondida atrás das árvores, a senhora pode acabar passando por um desses negros fugidos, um desses salteadores. Um perigo, se alguém de repente resolver agir antes de lhe identificar.

– Não estava escondida. Estava esperando.

– Esperando? – Brasiliano falou, finalmente desperto do encantamento de assistir de camarote àquele duelo formidável, duas beldades se enfrentando. Ali se resumia toda a rivalidade do mundo feminino, tudo pelo qual homens são capazes de roubar, matar, declarar guerras. Loira *versus* morena. Duas leoas rosnando uma para a outra. Brasiliano não entendia muito bem por que, mas intuía que era exatamente isso que acontecia ali, sob os cinamomos da rua do Arvoredo.

– Por você, Brasi – a Bronze enfim desviou o olhar dos olhos de Catarina e dirigiu-se a Brasiliano.

Brasi, ela chamou. Catarina percebeu a intimidade entre os dois. E não gostou.

– Por mim? – Brasiliano olhou da Bronze para Catarina e de Catarina de volta para a Bronze.

– Precisamos conversar.

– Agora? – novamente, ele fitou Catarina, que observava o diálogo com o queixo erguido, bela, orgulhosa, poderosa, em desafio.

– Agora. Vamos para a minha casa – o tom de voz da Bronze não admitia contestações. Não se tratava de um convite, ela estava mandando Brasiliano segui-la até sua casa.

– Mas... – Brasiliano mais uma vez mirava ora a loira, ora a morena, ora Januário, como que pedindo socorro. O cão, sentindo a aflição do dono, ganiu baixinho.

Catarina tentou se controlar. A raiva não lhe serviria de nada. Ao contrário. Precisava disfarçar a frustração. Precisava dar a Bronze uma desculpa razoável para estar voejando pelas ruas àquela hora sem lhe conceder a vitória de se mostrar irritada. Engatilhou um meio sorriso. Modulou a voz num tom amistoso:

– O anspeçada Brasiliano, bom militar que é, estava me acompanhando até em casa – explicou, o leve acento germânico sonorizando algumas sílabas. – Fui obrigada a sair para ver se encontrava umas ervas curativas. Minha criada Emiliana está doente, e meu marido está trabalhando. E, a esta hora, a senhora sabe muito bem, Porto Alegre é uma cidade perigosa...

– Por demais perigosa – concordou a Bronze, de pronto. – Mas façamos assim: sigo com vocês até sua casa. Depois, voltaremos nós três, eu, Brasiliano e Januário. Que tal, Januário?

Dito isso, a Bronze afagou a cabeça de Januário e partiu, resoluta, pela rua do Arvoredo. Januário a acompanhou, saltitante. Brasiliano olhou para Catarina e deu de ombros, resignado. Catarina se pôs em movimento. Pisou o chão com raiva, sem nem sequer se virar para o desesperado Brasiliano, que tentava chamar-lhe a atenção com sinais.

E se foram assim, uma tropa de sentimentos conflitantes: a Bronze à frente, triunfante como um general de Napoleão. Januário ao seu lado, festejando-a alegremente. Dois passos atrás, Catarina, marchando furiosa com a derrota tática. Na retaguarda, sem compreender exatamente o que havia acontecido, o perplexo Brasiliano.

28. "Você vai ter que ser punida"

Por onde ele havia entrado? Pela posição em que estava, não podia ter sido pela escadaria que subia até a sala. Devia existir uma outra passagem para o porão. A questão a perturbou. Em um segundo, porém, Emiliana trocou a surpresa pelo pavor. O açougueiro a fitava de pé, sem falar uma palavra, sem mexer um músculo. Os braços compridos e fortes ao longo do corpo. Seu vulto gigantesco delineado no escuro. Os olhos malignos que Emiliana tanto temia brilhavam nas sombras, numa ameaça silenciosa. Os pensamentos turbilhonavam na cabeça de Emiliana. Que desculpa ela poderia dar para estar ali? Começou a falar, hesitante:

– Seu Ramos... patrão... o senhor me desculpe, eu...

Ele deu um passo na direção dela. Emiliana estremeceu. Recuou, sentada no chão, as costas apoiadas contra o baú.

– Não! – gritou, estendendo a mão espalmada na direção dele, como se pudesse impedi-lo.

Ramos avançou mais um passo. O corpo inteiro de Emiliana tremia. Ramos arreganhou os dentes num sorriso malicioso.

– O que você queria aqui, sua vagabundinha?

Emiliana sentia vontade de chorar.

– Nada, seu Ramos. Nada. Só vim ver se precisava de limpeza.

Ramos riu novamente. Não era um sorriso bom de se ver.

– Você sabia que não era para vir aqui.

Agora ele estava junto dela. Os bicos de suas enormes botinas pretas encostavam em suas pernas. Emiliana estava sentada de lado, a perna direita sobre a perna esquerda, o flanco esquerdo apoiado no baú ainda aberto, a vela tremulante esquecida no chão, fornecendo uma iluminação tênue à cena.

– Eu sabia, eu sabia – balbuciou Emiliana. – Mas o porão podia precisar de limpeza. Vem um cheiro estranho daqui. Um cheiro ruim.

A expressão divertida no rosto de Ramos não era de quem acreditava no que ela dizia. Ele abaixou a cabeçorra até roçar seu grande nariz na testa dela. Rosnou, e seu bafo a horrorizou ainda mais:

– Você vai ter que ser punida. Sua vagabundinha.

Emiliana começou a choramingar.

– Não, seu Ramos. Não. Por favor, não.

Duas mãos de ferro a prenderam pelos braços.

– Não, por favor. Não! Não!

Ramos a levantou com facilidade. Apertou-a contra o peito. Ergueu-a. Os pés de Emiliana não tocavam o chão. Ela gemeu. Os braços lhe doíam.

– Por favor! Por favor! Eu faço o que o senhor quiser. O que o senhor quiser!

Sem despender o menor esforço, Ramos a levantou até a altura de seu rosto. Ficaram face a face, ela a centímetros daqueles olhos de fogo.

– Você quer ser comida – disse ele. E, baixando-a no solo, levou a mão direita à gola de seu vestido. Com um único movimento, rasgou-o completamente. – Você vai ser comida! – Urrou, afinal.

Em segundos, Emiliana estava nua. Chorava, desamparada. Ramos a arrastou até a mesa. Ela sabia o que lhe aconteceria. Como se estivesse sendo sacrificada à luxúria do açougueiro, ela se entregou. Abandonou-se como jamais havia se abandonado na vida. Deixou que ele fizesse o que quisesse, sentindo-se indiferente, anestesiada, como se não fosse ela que estivesse ali.

Ramos terminou em dois minutos. Vestiu as calças novamente. Emiliana já não chorava mais. Afastou-se dois passos. Ficou de pé, nua, olhando para ele. Sentiu o frio que vinha do chão molhado. Então notou que estava descalça. Onde tinham parado suas chinelinhas?

Ramos observava os objetos sobre a mesa. Escolhia algo. Por fim, se decidiu. Empunhou uma faca de uns vinte centímetros de lâmina. Olhou significativamente para ela.

– Você quer ser comida – repetiu. – Vai ser comida.

Emiliana sabia que ia morrer ali, naquele porão infecto. Mas não pensou em correr, em implorar por clemência, não pensou em gritar. Sentia-se subitamente calma. Ramos se aproximava, já tocava nela e ela sequer se mexia. Era seu fim, ela, que nunca tivera muito na vida mesmo. Pensou no filho que depositara na Roda. Desejou-lhe uma vida melhor do que a que ela tivera.

Ramos se posicionara às suas costas. Emiliana foi tomada de um desprezo profundo por ele. Não porque ia matá-la agora, mas porque a separara de seu filho. Emiliana girou rapidamente a cabeça e o encarou. Não viu a fúria que sempre vira naquele olhar. Viu surpresa. Cuspiu-lhe na cara.

– Porco – disse, com nojo.

Ramos recuou o rosto, espantado. Ergueu a mão esquerda. Limpou a face. Segurou Emiliana pelos cabelos. Puxou sua cabeça para trás. E a degolou num golpe certeiro. Ela desabou sem emitir um ruído, o sangue cascateando da ferida. Ramos observou-a em silêncio. Balançou a cabeça, levou as mãos à cintura, a direita ainda segurando a faca ensanguentada. Apertou os lábios. Falou, enfim, e essa foi a última frase que Emiliana ouviu na vida:

– Nenhum dos homens que matei foi tão corajoso.

29. "E tomou um dos maiores sustos da sua vida"

Manoel Antunes estava acordado desde as quatro horas da madrugada. Já havia tomado seu mate em silêncio, no pátio de casa, admirando o céu azul-escuro que clareava aos poucos. Já havia tomado seu café bem forte e comido um saboroso pão com banha e sal, sentado à mesa da cozinha. Já havia parido a primeira fornada de pão quente e oloroso. Preparava-se para abrir a padaria. Girou a grande chave da porta que dava para a rua da Figueira. Removeu a tranca de madeira que protegia a casa de improváveis assaltantes noturnos. Abriu as portas de par em par. E tomou um dos maiores sustos de sua vida.

Parado na calçada, o gigantesco açougueiro José Ramos assomava à distância de um passo. Estava estático, os grandes braços ao longo do corpo. Esperando. Via-se que esperava.

– Ai, Jesus! – gritou o padeiro português, levando a mão direita ao peito gordo.

– Esperava pelo senhor – comunicou secamente o açougueiro, sem se rir do sobressalto do outro.

– O se-se-se-senhor me aaaaassustou... – Antunes se irritou consigo mesmo por começar a gaguejar. Odiava aquela gagueira dos infernos.

– Podemos falar? Queria falar com o senhor antes dos fregueses chegarem.

Antunes ficou intrigado. Lembrou-se das vezes que vira o açougueiro com sua mulher. Querería ele falar sobre Rosa? Comunicar que tinham um caso? Quem sabe, desafiá-lo para um duelo por sua mulher. Antunes estremeceu. Não era bom de duelos. Era bom em fazer pães, em cozinhar para os amigos, era bom pai, achava até que era bom marido, mas não era bom em duelos. Nunca duelara na vida. Nunca havia brigado com ninguém. Não queria brigar agora.

– Mas cla-claro. Entre – ofereceu-lhe o interior da padaria com um gesto do braço roliço.

Ramos entrou em silêncio.

– Serei breve – informou, taciturno.

Cristo! Era agora! Ia desafiá-lo para o duelo. O que Antunes ia responder? Rosa. Infernal Rosa. Em que confusão o metia. Tudo por causa de sua ambição. Sim, porque Antunes a conhecia, sabia que ela se sentia atraída era pelo progresso do açougue de Ramos. Várias vezes havia comentado sobre o quanto Ramos devia estar lucrando com a tal linguiça especial que virara moda em toda a cidade. Perguntava se Antunes não tinha vontade de fazer uma sociedade com o açougueiro, sonhava com o dinheiro que poderiam ganhar. Antunes ouvia sem levar nada daquilo a sério. Nunca se meteria com um tipo estranho como Ramos, ora pois, pois. E agora ele estava ali, prestes a atacá-lo. Jesus!

– Quer sen-sentar-se aaaaqui, aaaaatrás do bal... balcão? – Antunes decidiu ser amistoso. Quem sabe o outro desistiria da ideia do duelo.

– Não. Serei breve – repetiu Ramos, sério.

Pelo tom, não havia saída. A coisa seria feita mesmo. Antunes sentiu uma resignação triste lhe pesar no peito. Revólveres. Ia preferir duelar com revólveres. Nunca dera um tiro, mas com arma branca não teria a mínima chance. O açougueiro era muito mais forte. Além disso, não teria coragem de enfiar uma adaga no estômago de um homem. Estômagos existiam para serem alimentados, não para serem furados. Sentiu uma suave vontade de chorar. E se implorasse por clemência? Não... Seria pusilânime demais. Teria de enfrentar a morte. Bem, todo mundo morre um dia. Mas ele ainda não queria morrer! Queria fazer muitas coisas ainda. Voltar ao Rio. Visitar Portugal. Ouvir um fado triste em Coimbra. Já considerava seriamente a ideia de se humilhar e pedir clemência quando o outro falou de novo:

– Tenho uma proposta para o senhor.

– Pro-popoposta?

Seria uma proposta por Rosa? Talvez ele quisesse trocar de mulher. Antunes pensou em Catarina. Não seria má ideia. Era uma loira, verdade, e isso a tornava perigosa. Mas todo mundo não diz que para vencer o perigo é preciso enfrentá-lo?

– Que pro-proposta?

– O senhor quer ficar rico?

Antunes arregalou os olhinhos cinzentos.

– Ri-rico?

Era uma proposta financeira, então. Antunes ficou aliviado e decepcionado ao mesmo tempo. Já se via refestelado entre as longas pernas de Catarina. Nada de Catarina, mas ia continuar vivo. Não era de todo mau.

– Quer?

– Mas cla-cla-claro. Quem não q-quer?

– Então, por favor: vá a minha casa hoje à noite, a partir das oito horas. Tenho uma proposta para o senhor. Não posso falar agora. Mas é um negócio muito bom, envolvendo a padaria e o açougue. O senhor não vai se arrepender.

– Às o-oito? Ho-horas?

– E o mais importante: – Ramos aproximou a caratonha do rosto rubicundo de Antunes. – Não fale dessa minha visita para ninguém. Ninguém! Entendeu? Nem à sua mulher.

– En... en... en...

– Espero o senhor lá. Oito horas.

E se foi, movimentando seu grande corpo com surpreendente agilidade, porta afora, deixando Antunes boquiaberto, de olhos arregalados, completando, enfim:

– Entendi!

30. “Há uma onda de sumiços na cidade”

O mundo havia se esquecido dele? Onde estavam todos?

O mandalete. Walter enviara o mandalete à casa de Catarina pela manhã e, até agora, nada. O menino já deveria ter retornado para contar sobre a reação dela ao bilhete. Fez algum comentário? Ficou feliz? Mandou uma resposta, ao menos? Walter havia sido preciso:

– Leve este bilhete para a dona Catarina, aqui ao lado, volte correndo, me conte o que ela disse. Depois, lhe dou um tostão.

Mas nada do guri. Onde se meteu o moleque safado? Não aparecia nem para buscar seu tostão? Curioso...

Será que Catarina não gostou da sua iniciativa? Será que se ofendeu? O bilhete era seco, para evitar suspeitas, se por acaso fosse lido por terceiros:

“Preciso falar com a senhora. Com urgência”.

Sem assinatura, sem maiores considerações. Se ela perguntasse algo, o mandalete estava instruído a ser breve:

– É do sapateiro Walter.

A tarde avançava, e ele não recebia nenhuma resposta, Catarina não aparecia, o menino não aparecia. Que angústia. E Brasiliano? Por onde andaria o anspeçada? Walter não vira sombra dele ou de Januário pela rua. O que era muito estranho. Aquela dupla sempre aparecia, e, se não ficasse alguns minutos na sapataria, Brasiliano pelo menos enfiava seus grandes bigodes pela porta, gritava um "buenas!" e ia-se embora, faceiro, com Januário latindo atrás dele. Brasiliano e Januário eram muito ruidosos para passarem despercebidos. Mas nem um, nem outro dera as caras. Nem mesmo Antunes viera para contar o sonho da noite anterior.

O que estava acontecendo???

Em vez de um dos amigos, de Catarina ou do mandalete, quem entrou pela porta da sapataria foi dona Honestina. Walter franziu a testa. Dona Honestina morava na rua do Arvoredo, perto do beco do Poço. Era uma solteirona de uns sessenta anos de idade cujo maior orgulho se constituía no fato de jamais ter sido tocada por homem. Assumira como objetivo maior da sua vida a distribuição de informações acerca dos moradores da região. Se alguém quisesse ter notícias de um vizinho, a pessoa certa a procurar era dona Honestina, sempre atenta aos movimentos de todos, em todos os lugares, sempre bem-informada, sempre sequiosa de novidades.

Dona Honestina visitava a sapataria quase todos os dias. Chegava de manso, atualizava Walter a respeito dos vizinhos com dois dedos de conversa e ia embora falando sozinha. Raramente levava algo para consertar. Dona Honestina era muito ciosa do próprio dinheiro. Esperava que as solas dos sapatos furassem para submetê-los a Walter. Quando os trazia à sapataria, pechinchava diligentemente. Walter sempre baixava o preço, mesmo que o conserto não lhe desse lucro algum. Normalmente, ele achava as visitas de dona Honestina divertidas, mas naquele dia preferia o silêncio. Não estava interessado em fofocas.

– Bons dias, seu Walter.

– Bons dias.

– Fiquei sabendo que o senhor recebeu uma visitinha, esses dias.

Walter piscou. Visitinha? Então dona Honestina não viera abastecê-lo, viera coletar novas informações. Sorriu para ela:

– Como assim?

Ela segurou as bordas do balcão com as duas mãos murchas. Olhou para os lados como se temesse a chegada de alguém. Ciciou:

– Me disseram que o chefe de polícia em pessoa esteve aqui.

Walter assestou com o polegar uma tachinha na sola de um sapato feminino.

– Verdade – concordou, propositalmente sucinto para titilar a curiosidade infinita de dona Honestina. Esperava que ela pulasse sobre o balcão, implorando que ele contasse o que o chefe de polícia queria. Mas dona Honestina o decepcionou. Ou, ao contrário: não o decepcionou. Competente, ela já sabia de tudo:

– Ele veio por causa dos desaparecimentos, não é?

Walter a encarou, admirado.

– Isso mesmo.

– Tenho um sobrinho na polícia. Ele me disse que há uma onda de sumiços na cidade.

– Bem – Walter estava de novo concentrado no trabalho. – Porto Alegre é uma boa cidade, mas pessoas vão embora daqui, às vezes.

– Sem avisar ninguém? – dona Honestina se empertigou, cética. – Ninguém vai embora assim, de uma hora para outra, deixando os pertences em casa, saindo só com a roupa do corpo, sem dar satisfações para pai, mãe, filhos, esposa. Algo de muito estranho está acontecendo nesta cidade, escute o que lhe digo.

Walter levantou a cabeça. Alisou com a mão direita os cabelos castanhos. Apertou os lábios.

– Talvez a senhora tenha razão.

– Tenho. Claro que tenho – dona Honestina se pôs muito ereta, vitoriosa. – Além disso, seu Walter, pense bem: o próprio Dario Callado está investigando o caso. Isso mostra a importância da coisa.

Walter balançou a cabeça em concordância. Dona Honestina não era tão tola, afinal.

– O senhor ouviu falar do caso dele com a mulher do sargento? – prosseguiu ela, retomando o tom cúmplice.

– O chefe de polícia?

– O próprio. Um caso terrível. Acontece que a mulher de um certo sargento do exército, umazinha que, até admito, tem lá os seus encantos, pois ela estava traindo o sargento. E sabe com quem? Com um mulato! Um liberto que começou a trabalhar de mascate, montou o próprio comércio e começou a ganhar lá seus réis. Um mulato, seu Walter! Um tipo que podia ser escravo ou trabalhar como cabungueiro por aí! Desavergonhada!

Dona Honestina parecia mais escandalizada pelo fato de a mulher do sargento se permitir a intimidades com um mulato do que com a infidelidade. Walter grunhiu, dando sinal para que ela continuasse, agora interessado no assunto. Ela continuou, empolgada com o sucesso da história.

– Acontece que o chefe de polícia descobriu tudo. Uma tarde em que o sargento estava de serviço, Dario Callado foi ter com a mulher dele. Contou o que sabia, ameaçou de entregá-la para o sargento. Ela implorou que ele não fizesse isso, disse que o sargento era violento, que iria matá-la. Dario Callado, então, respondeu que não falaria nada para ninguém, desde que ela servisse também a ele. Servisse, o senhor entende, seu Walter? Ela concordou depressa. Desde aquele dia, a mulher do sargento mantém o caso com o mulato, paga com o corpo o silêncio do chefe de polícia e continua muito bem casada com o sargento, o único na cidade que não enxerga as guampas duplas que leva na testa.

Dona Honestina concluiu a história com um ponto final em que havia certo orgulho. Walter a olhava boquiaberto.

– Como a senhora descobriu tudo isso, dona Honestina?

A pergunta a inflou de satisfação.

– Simplesmente sei, seu Walter – um sorriso superior lhe desenhou uma meia-lua na boca em que falhavam alguns dentes. Em seguida, ela escorregou as mãos sobre a superfície do balcão. Walter olhou para aquelas duas tarântulas amarelas se arrastando céleres na sua direção. Teve o ímpeto de recuar, mas se manteve firme na banquetinha. O vestido estampado com flores azuis de dona Honestina ondulou com o movimento brusco. Ela usava uma touca de pano. Ajeitou a touca de onde espirravam alguns fios azulados de cabelo.

– Vou lhe dizer, seu Walter: essas mulheres de hoje. Está tudo virado de cabeça para baixo. É o fim do mundo, lhe garanto. Todas umas vadias. Agora o senhor veja: trair o sargento com um mulato. Um mulato! É essa sede de sexo, seu Walter. Sexo. É só no que as pessoas pensam hoje em dia. No meu tempo, não era assim. Eu mesma, seu Walter, o senhor não acreditaria, mas nunca na vida fui tocada por homem.

Walter a olhou de lado. Tinha ganas de dizer que acreditava perfeitamente que ela nunca havia sido tocada por homem. Acreditava mesmo. Fazia uma ideia precisa da razão disso. Mas não falou nada. Continuou em silêncio, prestando atenção na cantilena de dona Honestina:

– Nunca, seu Walter! Não é à toa que me chamo Honestina. Meu pai foi um profeta ao escolher esse nome para mim. Honestina, seu Walter. É o que sou. Honesta, sim senhor, disso posso me orgulhar. O mundo vai acabar, seu Walter. Esse mundo de vadias e de homens falsos ao corpo. Nós não veremos o século 20. Que bom que não tenho filhos. Que bom! Acho mesmo que me vou antes. Tenho sentido umas dores terríveis, seu Walter. Começaram aqui em cima – dona Honestina tocou a base do pescoço com o indicador e o dedo médio –, depois foram descendo, seu Walter – e os dois dedos fizeram o caminho percorrido pelas dores: saíram velozes do peito magro e ingressaram hesitantes no vale formado pelos dois seios flácidos, descambaram pela barriga, estacionaram bruscamente nas ilhargas. – Descendo, descendo, descendo, seu Walter. Tenho alguma coisa dentro de mim, que minha Nossa Senhora que me abençoe. Tenho alguma coisa. Estou sentindo a dor da morte, seu Walter.

Walter aprumou-se na banquetinha.

– A dor da morte?

– A dor da morte. É horrível, seu Walter. Uma dor aguda. Como se estivessem enfiando uma faca bem fininha, bem fininha, bem finiiiiinha aqui – os dois dedos voaram direto para o desanimado seio esquerdo – no coração. Aiai – suspirou. Retesou-se. – Vou-me – virou na direção da porta. Acenou, abatida. – Adeus, seu Walter. Talvez o senhor não me veja mais. Nunca mais.

Saiu em direção à rua, falando baixinho sobre a dor da morte.

Walter coçou a cabeça. Consultou o relógio que trazia preso a uma corrente no bolso das calças. O sol já derivava para os lados do rio Guaíba.

Apanhou um saltinho para lixar. Suspirou. Nada de Catarina. Nada do mandalete. Nada de seus amigos. A impressão era de que o mundo realmente havia se esquecido dele.

31. "Estava tentando seduzir a mulher do padeiro"

Catarina não estava nada satisfeita. A noite havia sido um fracasso, e dela restaram muitas pontas soltas que agora ela teria de amarrar. De manhã, ao acordar, deu pela falta da criadinha Emiliana. Perguntou por ela a Ramos, que se limitou a rosnar:

– Ela foi bisbilhotar no porão.

Catarina levou as mãos à cintura.

– E o que você fez?

– O que mais eu poderia fazer?

Catarina balançou a cabeça, irritada

– Também, que mulatinha mais burra. Eu havia dito a ela para não abrir aquela porta jamais!

Pelo meio da manhã, notou, da janela de casa, que havia um alvoroço no quintal. Ramos perseguia um menino, sacudia-o pelo braço. O que o moleque estaria aprontando? Esses guris das imediações estavam sempre fazendo alguma arte pela rua.

Catarina viu também que Rosa, a mulher do padeiro, fora duas vezes ao açougue. Duas visitas demoradas.

Ramos não a enganava. Estava tentando seduzir a mulher do padeiro, nada mais óbvio. Não era por outro motivo que lhe comunicara, ainda de manhã, depois de voltar de uma visita à padaria:

– O padeiro Antunes virá aqui essa noite. Você vai dizer que saí por um momento. Vai levá-lo para o quarto. Dar um tratamento nele. Depois, é só conduzi-lo para a ceia. E para o alçapão.

Ela havia entendido tudo. Até demais. Antunes seria a próxima vítima. Mas não uma vítima comum, não apenas um fornecedor de carne para a linguiça especial. Ramos cobiçava a padaria. Por isso todo aquele movimento com a mulher, a tal Rosa.

Como os homens eram previsíveis. Ramos tornara-se ganancioso. O dinheiro da linguiça especial, as facilidades todas que ela, Catarina, lhe provia, isso tudo o transformara num ávido por dinheiro e poder. O que ele estaria pensando em fazer dela? Não conseguiria abandoná-la simplesmente, disso Catarina tinha certeza. Nunca encontraria uma mulher como ela. Que fizesse as coisas que ela fazia. Pretendia mantê-la como amante? Pois sim! Ele veria a surpresa que o esperava. Só não o largava já porque precisava dele para um último serviço: Brasiliano.

Catarina havia tomado suas providências. Em primeiro lugar, mandou um menino cuidar dos movimentos da casa do anspeçada. O menino ficava brincando ali pela rua e observando a casa. Quando Brasiliano retornasse, ela deveria ser avisada. Mas o esquisito é que Brasiliano não voltava nunca. Estava fora desde que subira para o Alto da Bronze, à noite, na companhia da morena putana. Assim que Brasiliano aparecesse, ela lhe enviaria um bilhete pedindo para que fosse visitá-la antes de ver qualquer outra pessoa. Fizera um pedido especial a Ramos:

– Aquele soldado, o Brasiliano, ele me molestou ontem à noite. Quero que você acabe com ele. Por favor. O mais rápido possível. Quero que você mostre que é homem.

Ramos ficara furioso. Prometera dar cabo do soldado. Mas advertiu: antes, teria de pegar o padeiro. Então, tudo acertado: Antunes hoje, Brasiliano amanhã. E fim. Fim mesmo. Catarina estava ansiosa para se dedicar a Walter. Tinha pressa de ser feliz. Como Walter estaria passando? Os últimos dias deviam estar sendo de angústia para ele. De saudade. Catarina sumira de propósito. Por dois motivos: para resolver de vez sua questão com Ramos e para fazer com que Walter sentisse a falta dela depois daquele beijo. Sabia como manipular os homens. Sabia como deixá-los loucos. Ah, sim, Walter devia estar louco.

32. "Teria prazer em descarnar esse alemão"

Ramos releu o bilhete, nos fundos do açougue.

"Preciso falar com a senhora. Com urgência."

Apertou o cabo do machado, sentindo o sangue lhe queimar o rosto. Não havia sido nada difícil perceber que o garoto trazia um bilhete escuso para Catarina. Notou o jeito desconfiado como ele rondava a casa. Depois, como o evitou, como tentou esconder o pedaço de papel às costas. Ramos só precisou dar uma corridinha para alcançá-lo antes que chegasse ao portão, sacudi-lo duas vezes e pronto: o garoto confessou tudo. Que o sapateiro lhe prometera um tostão para entregar o bilhete a Catarina e voltar com a resposta. Que o sapateiro lhe pedira sigilo. Que o orientara a desviar sobretudo de Ramos. O açougueiro deu o tostão e ordenou que sumisse, sob pena de lhe arrancar a orelha a puxões, caso o visse novamente pela vizinhança.

"Preciso falar com a senhora. Com urgência."

Não seria nenhum assunto de meias-solas, por certo. Aquele ponto falava muito. Preciso falar com a senhora, ponto. Se fosse uma urgência normal, não haveria o ponto. Preciso falar com a senhora com urgência. Sem problemas, tratava-se de uma urgência ordinária, uma urgência do dia a dia. Talvez até uma urgência de meias-solas. Mas aquele ponto era um ponto de aflição. O "com urgência" estava ressaltado. Não havia nada maior do que aquela urgência. Era uma urgência desesperada. Uma urgência... apaixonada.

Desde que interceptara o bilhete, Ramos fazia uma retrospectiva dos seus encontros com o sapateiro. E dos encontros de Catarina com o sapateiro que tivera a chance de testemunhar. Dias atrás, inclusive, quando a flagrou na sapataria, conversando à toa.

Walter, o sapateiro... Pelo jeito, seria fácil atraí-lo. Já estava fisgado pela loirice da sua bela mulher. Teria prazer em descarnar esse alemão metido a intelectual.

Mas, antes de tudo, os negócios. Nessa noite, trataria do padeiro Antunes. Aquele padeiro forneceria linguiças bem gordas. Seria um sucesso. Ia mandar um pacote dessa linguiça para o bispado. De graça. Padre adora comida de graça.

33. "Usava um vestido verde"

Rosa era uma mulher insistente, sim, senhor. Antunes até havia tentado omitir o encontro dele com o açougueiro, mas a mulher o convenceu a falar, e para isso não precisou de mais de cinco minutos de pressão. Quando contou o ocorrido, Antunes aproveitou para observá-la. Queria ver como ela reagiria à menção do nome de Ramos. Uma piscadela, um rubor nas faces, qualquer sinal poderia denunciar a traição da qual ele suspeitava. Mas, para sua imensa surpresa, Rosa foi absolutamente natural. Mais: ficou felicíssima com a possibilidade dele estabelecer negócios com o açougueiro. Será que era isso que ela tanto fazia no açougue? Perscrutava a chance de novos negócios para o seu maridinho? Rosa era também uma mulher surpreendente, sim, senhor.

– A padaria e o açougue, juntos, podem render muito! – exultara a mulher. – Você já notou como o açougue dele prosperou nos últimos tempos? É o açougue mais famoso da cidade. Graças à tal linguiça especial. Podemos fazer venda casada. Quem compra linguiça, compra pão. E vice-versa. Podemos aumentar o negócio, levantar um grande empório.

E deitou falação por uns vinte minutos, sem trégua. Em seguida, lhe enfiou na roupa domingueira. Alfinete espetado na gravata fina, camisa de seda, chapéu alto, sobrecasaca, calça de riscado, relógio de bolso pendurado na corrente. Antunes ficou constrangido. Que era aquilo? Não era para tanto, tratava-se apenas de uma primeira conversa...

– Não, senhor! – objetou Rosa, decidida. – Uma reunião de negócios exige solenidade.

Antunes saiu assim enfarpelado, torcendo para que o amigo Walter não o visse vestido daquela forma, como se estivesse indo à missa de domingo ou a uma peça teatral no São Pedro. Quando Rosa botava uma ideia na cabeça, não havia cristão que a demovesse.

Em poucos minutos, Antunes estava diante do número 27 da rua do Arvoredo. Não bateu palmas, como seria de boa educação – não queria que a vizinhança o visse entrando ali vestido como estava. Abriu o portão do jardim e caminhou por entre as árvores, rumo ao alpendre.

O aspecto sombrio da casa lhe deu arrepios. Por que não havia mais iluminação? Queriam economizar óleo de baleia?

Bateu à porta.

Passaram-se alguns segundos. Antunes olhava para os lados, inquieto. Não gostava de estar ali. Não gostava do açougueiro. Ele o deixava nervoso. Pensando melhor, nem precisava estabelecer negócio nenhum com o açougue, sua padaria ia muito bem, obrigado. Não entendia por que Rosa era tão ambiciosa. A padaria já não lhes dava o suficiente para viver com dignidade? Não lhes permitiu a compra de dois negros? Não lhes permitiu espalhar retratos pela parede? Por favor! Ia embora dali e ia embora agora mesmo. Bateria mais uma vez, uma vezinha só, de leve, por desencargo de consciência. Se ninguém atendesse, passar bem.

Bateu de novo.

Esperou mais meia dúzia de segundos. Alisou a sobrecasaca, satisfeito por ter cumprido a missão. Sua parte estava feita, ele não tinha culpa se o açougueiro era um tratante. Era o que diria a Rosa: não faço negócios com tratantes! Ponto final! Uma boa justificativa para nunca mais fitar aqueles olhos perturbadores do açougueiro. Já estava virando-se para ir embora quando a porta abriu.

Catarina.

Foi uma surpresa. Antunes esperava ver a criada ou o açougueiro abrindo a porta. Catarina trazia um lampião na mão esquerda. A direita segurava o trinco. Estava linda. Usava um vestido verde que ressaltava ainda mais a cor de seus olhos. Sorriu:

– Boa noite.

Antunes se arrepiou ao ouvir aquela voz melodiosa.

– Bo-bo-bo-boa noite!

– Entre, por favor – ela escancarou a porta.

Antunes entrou, torcendo o chapéu entre as mãos.

– O s-s-s-seu José Ramos m-me co-convidou para vir a-aqui hoje. E-ele...

– Ele deu uma saída – interrompeu Catarina, fechando a porta. – O senhor pode me acompanhar, por favor?

– P-pois não...

Antunes a seguiu, nervoso, desconfiado. Catarina atravessou a sala. Passou por uma mesa de madeira. Sobre a mesa, diversas iguarias que despertaram o apetite de gordo de Antunes: pães, todos comprados em sua padaria, certamente. Reconheceria aquele pão francês de meio quilo em qualquer mesa. Também queijos, vinho e a famosa linguiça do açougue de Ramos. Catarina caminhava dois passos à frente. Antunes a seguia sem tirar os olhos da mesa. Ela se meteu por um corredor, entrou por uma porta. Antunes também, distraído, ainda pensando na mesa posta. Nova surpresa.

O quarto do casal.

Não era nada conveniente ele estar no quarto do casal. E se Ramos chegasse de inopino e os surpreendesse ali? Poderia dar problema, ah, poderia. Antunes não gostaria de se defrontar com a ira de um Ramos ciumento. Lembrou da aparição dele na sapataria do amigo Walter. Quanta fúria. Quanta grosseria. Não, não, era melhor Antunes dar o fora o quanto antes. Estacou à soleira da porta. Catarina parou junto à cama.

– Vem – convidou ela, sorrindo.

Antunes amassava o chapéu.

– Ahn... ah... o... é...é... a se-senhora me desculpe. Me desculpe, po-por favor. Me desculpe. Ma-mas eu vo-vou embora. Mmmme desculpe.

– Que é isso?... – Catarina caminhou na direção dele, estendendo a pequena mão branca.

Segurou a mão gorda de Antunes. – Que é isso? Não precisa inibição. Venha cá.

Puxou-o docemente para a cama. Sentou-se. Fez com que Antunes sentasse ao seu lado. Ele suava. Queria ir embora. O que estava acontecendo? Não entendia nada. Olhava para a porta do quarto, temendo a aparição de Ramos. Pensou em Rosa. Gostaria que Rosa estivesse ali, para lhe dizer como proceder. O que aquela mulher estava fazendo? Não largava a sua mão. Sorria daquele jeito, insinuante, maliciosa. O que ela pretendia? Queria seduzi-lo? Ora, ora, ora, nenhuma mulher jamais tentou seduzi-lo. Por que uma mulher ia querer seduzi-lo?

– O senhor está nervoso – sussurrou Catarina, passando carinhosamente a mão pelo cabelo liso e grisalho de Antunes. De fato, ele estava muito nervoso. – Vou fazer o senhor se acalmar...

Antunes arregalou os olhos. O que ela queria dizer com aquilo? Precisava ir embora.

– Pre-preciso ir em-embora.

Tentou se erguer. Catarina o deteve, espalmando a mão suavemente em seu peito.

– Calma... – ciciou. – Muita calma...

Antunes suava em bagos. Tudo aquilo era muito estranho. Não queria estar ali. Não queria mesmo! Catarina se levantou, mas, com a mão ainda espalmada, não permitiu que ele levantasse também. Levou as mãos às costas, aos ombros, fez um movimento e, em um segundo, para completo horror de Antunes, pôs-se nua. O vestido caiu-lhe aos pés, ela deu um passo por cima do pequeno monte de pano verde rojado ao assoalho de madeira e se aproximou de Antunes. Que havia recuado para o meio da cama, apoiado nos cotovelos, a boca muito aberta, os olhos saltando das órbitas.

– Mmmmmm-meu Deus! Mmmmm-meu Deus!

Catarina galgou a cama, de gatinhas, sorrindo. Antunes recuou, em pânico, a garganta fechada, angustiado para sair correndo daquele lugar.

– Vem cá – a voz dela estava rouca.

– Mmmmmmm...

– Vem cá!

Antunes a afastou vigorosamente com o braço. Catarina caiu sobre o colchão, surpresa com a força demonstrada por aquele gordinho flácido.

– Não! – gritou. – V-vou embora! V-vou embora já!

Saltou da cama como se fosse um gato gordo. Apanhou o chapéu, que estava no chão.

– V-vou embora!

– Espere! – Catarina fez um gesto com a mão. – Por favor, espere!

Antunes parou a dois passos da cama. Catarina levantou-se. Ele recuou um pouco mais.

– Por favor. Espere.

Ela colheu o vestido do chão.

– Só um minuto – pediu. – É um mal-entendido. Calma. Calma...

Vestiu-se rapidamente, enfiando o vestido pela cabeça. Antunes ainda queria ir embora. Recuou mais um passo, decidido a sumir dali. Que tipo de armadilha tinham preparado para ele? Catarina agora estava vestida. Ajustou o dispositivo que prendia o vestido às costas.

– Não vá embora – pediu ela. – Se o senhor for embora, o Ramos me mata. Ele é terrível. É a besta-fera. Ele me mata.

– Mmmmm-mas...

– Por favor, só mais um pouco. Ele já deve estar de volta. Venha até aqui, por favor.

Ela o empurrou de volta à sala, para perto da mesa.

– Não quer comer um pouco, enquanto aguarda? O senhor me desculpe, por favor...

Antunes olhou para a mesa repleta de acepipes. Ainda queria fugir daquela casa de loucos, mas a mesa posta, tudo tão lindo, aquilo lhe açulou a gula. Por que ela se despira? Por quê? Que visão. Na verdade, a primeira mulher que ele tinha visto nua. Rosa era pudica demais, só fazia amor com ele vestida com uma camisola do pescoço aos tornozelos, com uma abertura no lugar da penetração. Era assim que as mulheres decentes faziam amor, na província. Nada daquele modismo trazido pelas francesas, mulheres completamente desnudas, desavergonhadas, sem moral. E Catarina não usava nada por baixo. Nada! Nem anágua, nem espartilho, nada, nada. Loiras! Ele sabia bem como eram essas loiras! Alemãs, pelo amor de Deus! Elas ainda transformariam a província numa terra de cornos irremediáveis, disso ele tinha absoluta certeza. Rosa, não. Rosa era uma santa, ah, era. Uma mulher direita. Honesta. Uma morena. Lembrou-se da ideia de trocar Rosa por Catarina. Agora, não aceitaria a troca. Não estava preparado para uma mulher tão impetuosa e... tão loira. Jesus Cristinho, o que era aquilo tudo? Seria alguma cilada? Seria essa cachopa alguma maluca? Antunes estava perturbado. E a proposta de Ramos? Que proposta seria? Ficaria rico, disse-lhe o açougueiro. Se voltasse para casa agora, não iria ouvir a proposta. Que diria à Rosa, que o esperava, ansiosa? Que fugira porque a mulher do açougueiro tirara a roupa e ficara nua, nuinha, aqueles dois seios ubérrimos apontando para ele como se o acusassem de algo? Que o empurrara para a cama? Que engatinhara como uma gata no cio, pronta para fazer tudo com ele? Rosa não acreditaria. Chamá-lo-ia de frouxo. Quereria ela mesma acertar os negócios com o açougueiro. Talvez ele devesse esperar um pouco mais. Talvez aquilo tudo fosse apenas uma fraqueza da loira, um momento de loucura. Sabe como são essas loiras. Realmente, realmente, não confiava nelas. O futuro mostraria que estava coberto de razão. Os homens da província andariam pelas ruas trançando os galhos da cabeça. Catarina era alemã. Seria normal esse tipo de comportamento na Prússia? Será que o general Otto Von Bismarck consentiria com essas sem-vergonhices? Ela lhe oferecia uma cadeira. Antunes olhou novamente para a comida sobre a mesa. Devia sentar? Coçou o queixo. Linguiças. Queijos. Pães. Começou a salivar. Devia?

Devia, devia.

Sentou-se.

– Aceita um pedaço de linguiça? – perguntou Catarina, gentil.

Antunes olhou para a linguiça especial. Tão cheirosa. De aparência tão apetitosa. Esboçou um sorrisinho. Ora pois, por que não provar uma linguicinha inocente?

34. "Ela a Esperança. Ele o Desengano"

Walter fechou o livro com força. Não conseguia compreender uma frase sequer. Não conseguia se concentrar. Passou a mão pela testa. Levantou-se. Suspirou. Espreguiçou-se, abrindo bem os braços, os punhos fechados. Jogou a cabeça para um lado e outro, fazendo a nuca estalar.

– Droga! – disse para si mesmo. – Droga!

A falta de notícias o enlouquecia. No fim da tarde, fora até a casa de Brasiliano, na rua da Varginha. Nada do anspeçada. Será que havia pousado no quartel? Não... se ele fosse passar a noite no quartel, teria comentado algo com Walter nos dias anteriores.

Mas o que mais o incomodava era a ausência de notícias de Catarina. Walter saíra pela rua, procurando o menino que mandara a ela com o bilhete. Nem sinal do moleque. Nem sinal de Catarina.

Caminhou até a janela. Abriu a cortina. Olhou para fora. Dali não conseguia ver a casa número 27. Resolveu sair para a rua, dar uma espiada na casa vizinha. Talvez tivesse sorte. Talvez avistasse Catarina passando por uma janela. Talvez ela o visse parado na calçada, olhando-a, súplice. Talvez isso a fizesse sair à rua. Então conversariam, ela lhe diria o que achou do bilhete, quem sabe até se beijariam.

Outro beijo. Como ele queria outro beijo daqueles lábios de gomo de bergamota.

Walter saiu, ansioso. A noite estava fria. Não gelada e úmida, como eram sempre as noites de inverno na província, mas agradavelmente fria. Atravessou a rua, arrastando as solas de madeira dos tamancos pelo chão de terra. Encostou-se numa árvore. Observou a casa número 27. Havia luz na sala. Catarina devia estar ali naquele momento. E se batesse à porta com alguma desculpa? O que poderia dizer? Não... Não havia desculpa para bater assim na casa de um vizinho. Não sem um ótimo motivo, e Walter não tinha nenhum ótimo motivo para tanto.

Suspirou outra vez. Caminhou de volta para casa, as mãos nos bolsos das calças. Abriu a porta, olhando uma última vez para a rua. Entrou. Precisava pensar em outra coisa. Decidiu reler um poema que o jovem Machado de Assis escrevera no ano anterior. Caminhou até a estante, na parede lateral da sala. Tirou de lá o livro de Machado tantas vezes lido. Procurou a poesia. Leu em voz alta, num último esforço para se concentrar:

"Caía a tarde. Do infeliz à porta,
Onde o mofino arbusto aparecia
Do tronco seco e de folhagem morta,

Ele que entrava e Ela que saía
Um instante pararam; um instante
Ela escutou o que Ele lhe dizia:

'Que fizeste? Teu gesto insinuante
Que lhe ensinou? Que fé lhe entrou no peito
Ao mago som da tua voz amante?

Quando lhe ia o temporal desfeito
De que raio de sol o mantiveste?
E de que flores lhe forraste o leito?'

Ela, volvendo o olhar brando e celeste,
Disse: 'Varre-lhe a alma desolada,
Que nem um ramo, uma só flor lhe reste!

Torna-lhe, em vez da paz abençoada,
Uma vida de dor e de miséria,
Uma morte contínua e angustiada.

Essa é a tua missão torva e funérea.
Eu procurarei no lar do infortunado
Dos meus olhos ver-lhe a luz etérea.

Busquei fazer-lhe um leito semeado
De rosas estivais, onde tivesse
Um sonho sem tortura nem cuidado.

E porque o céu que mais se lhe enegrece,
Tivesse algum reflexo de ventura
Onde o cansado olhar espairecesse,

Uma réstia de luz suave e pura
Fiz-lhe descer à erma fantasia,
De mel ungi-lhe o cálix da amargura.

Foi tudo em vão. Foi tudo vã porfia,
A aventura não veio. A tua hora
Chega na hora que termina o dia.

Entra.' E o virgíneo rosto que descora
Nas mãos esconde. Nuvens que correram
Cobrem o céu que o sol já mal colora.

Ambos, com um olhar se compreenderam.
Um penetrou no lar com passo ufano;
Outra tomou por um desvio: Eram:
Ela a Esperança. Ele o Desengano."

Walter fechou o livro. O encontro da Esperança com o Desengano. O Desengano entrando no lar com passo ufano. Oh, Deus, não foi uma escolha apropriada de poesia. Ou foi? Já era tarde. O ideal seria dormir, deixar que as incertezas próprias da noite passassem. Era o que seu pai sempre dizia: "De noite, nós enxergamos mal". Verdade. De manhã, à luz do dia, descansado, pensaria no que fazer. Tentaria dormir e esquecer. No dia seguinte, talvez tivesse notícias dela.

35. "Faltava pouco, agora"

O que esse gordo ridículo estava pensando? Repudiar uma mulher como Catarina? Por favor! Esse gordo, nunca, jamais, em toda a sua vida balofa, sequer tocou numa mulher como Catarina! Isso enfurecia Ramos. Os minutos que ficou observando os dois no quarto, quieto na sua câmara oculta, atrás do armário, bastaram para deixá-lo possesso. Teria enorme prazer em carnear esse gordo.

Também... Catarina havia sido um pouco precipitada. Agressiva demais. Assustou a presa. Estranho. Comportar-se assim não era do feitio dela. Catarina sempre fora muito cuidadosa com o seu gado. Um passo de cada vez, prudentemente...

Agora, tem uma coisa: o gordo só podia ser pederasta. Um falso ao corpo. Só podia. Só um pervertido para não se emocionar com a visão de Catarina nua. Ele próprio, Ramos, ao vê-la se despir, minutos atrás, com o olho no orifício feito na porta do armário, experimentara uma ereção formidável. Como o gordo conseguiu resistir? Não iria ele agora rejeitar a linguiça especial! Ah, não.

Ramos havia descido para o porão. Posicionara-se sob o alçapão, a mão na alavanca. Sabia que o gordo estava sentado na cadeira que ficava sobre o alçapão, as vozes e a luz que passava pelas frestas do assoalho lhe davam ideia da movimentação lá em cima. Quando ele tivesse terminado de comer a linguiça, Catarina bateria no copo com o garfo, e ele puxaria a alavanca. Olhou para baixo, para o machado encostado em sua perna. Para o afiado facão de dois cabos que esperava mais uma garganta. A visão de seus instrumentos de trabalho o consolou. Olhou de novo para o teto. Ouviu os sons de conversa lá em cima. De talheres batendo nos pratos. Perfeito. O gordo não resistiu. Estava jantando. Faltava pouco agora. Bem pouco.

36. "A linguiça especial de Antunes"

– Delícia! – exclamou Antunes, esquecido de todo o constrangimento de minutos antes. – Delícia!

A linguiça do açougue de Ramos era mesmo especial. Um sabor único. Como ele conseguia alcançar tal delicadeza, tal sutileza de tempero? Mas não era só o tempero. Era a carne, saborosa demais. Antunes precisava obter a receita. De qualquer forma. Iria ele próprio preparar aquela linguiça para os amigos Walter e Brasiliano. Chegava a ver as caras de espanto dos dois, quando anunciasse que estavam comendo a "Linguiça Especial de Antunes". Não ia fazer negócio com o açougueiro, isso acabara de resolver, mas a receita da linguiça ele tentaria conseguir de qualquer forma. Ofereceria fornecimento gratuito de pão a Ramos durante um mês, em troca da receita. Dois meses! Três, até!

– Delícia! – repetiu. – A senhora não vai comer?

Catarina sorriu, os olhos verdes faiscando.

– Estou um pouco farta dessa linguiça.

– Nunca provei nada parecido.

– Tenho certeza...

– Como gostaria de ter a receita, meu Deus!

– O senhor sabe daquele ditado – citou Catarina, sorrindo um sorriso irônico, as consoantes alemãs repentinamente explodindo em cada sílaba: – Os acordos políticos e as linguiças, é melhor não sabermos como são feitos.

Antunes levantou a cabeça do prato.

– Não são as salsichas?

– Como?

– Os acordos políticos e as salsichas.

– Nesse caso, uma adaptação.

– Bom – ele baixou a cabeça novamente. – Mas tenho certeza de que essa linguiça é feita com os melhores ingredientes. É boa demais! Boa demais! Parece até uma das gostosuras que eles comem na Corte, lá no Rio de Janeiro. A senhora sabe que eu sou perito em cozinhar acepipes da Corte do Rio? Cozinho muito bem. Preciso conseguir a receita dessa linguiça!

37. "Em dois dias, ficaria sem amigos"

Catarina observava-o, maravilhada. Nunca vira um homem comer com tanto entusiasmo. Comia como se comer fosse uma missão, concentrado nos pratos, provando cada bocado com um grunhido de satisfação, tecendo pequenos comentários acerca da excelência deste ou daquele acepipe. Uma pessoa que come com tal voracidade tem muito apreço pela vida. Quem não gosta de viver não come assim. Teve pena do gordinho. Lamentou que em breve ele fosse deixar de existir. Até porque Antunes fora o único homem que não se deixara seduzir por ela. Não que ele nunca a tivesse desejado, isso não. Catarina lembrava muito bem das vezes em que o encontrara na rua ou na sapataria de Walter. A forma como o gordinho a olhava, exatamente como todos os outros homens. Não a possuíra, minutos antes, mais por medo do que por algum sentimento ético. Era um covarde, coitado. E nele a covardia era maior do que a luxúria. Mas se tratava de um covarde simpático, alegre. Um covarde comilão. Bem, o fato de que ele próprio iria se transformar em comida talvez pudesse servir de consolo. Enfim, tinha pena do gordinho.

Tinha pena também de Walter. Em dois dias, ficaria sem amigos. Brasiliano e Antunes estariam aos pedaços, pendurados nos ganchos do açougue. Uma vez, na sapataria, ouvira Walter comentando acerca do tesouro que são os amigos, algo do gênero. Nesse particular, pelo menos, ele se tornaria pobre rapidamente. Mas ela procuraria compensar. Com certeza, ele não sentiria falta do gordinho nem do bigodudo. Ela se encarregaria disso. Ela sabia como dar prazer a um homem.

O gordinho continuava comendo, sem dar sinal de que seu apetite poderia arrefecer algum dia. Por quanto tempo aquilo continuaria? Catarina já começava a perder a paciência. Ramos também devia estar impaciente lá embaixo. Talvez ela devesse dar o sinal antes mesmo do gordo terminar sua refeição. Não era o de praxe, ela gostava de ver seus convidados saciados. Mas desta vez abriria uma exceção. Porque nada havia saído como de praxe com o gordinho, afinal. Fora Ramos quem o convidara, ele não havia sido caçado na rua; e o padeiro não fizera sexo com ela, Ramos não se deleitara dentro da câmara secreta. Aquilo tudo era muito desarmônico. Além do mais, Catarina tinha pressa. Queria resolver sua vida de uma vez. Que o gordinho fosse tragado pelo alçapão, que Ramos rachasse a cabeça dele com o machado e lhe abrisse a garganta com o facão, que o convertesse em iguaria fina do açougue. E que depois viesse o anspeçada. E, finalmente, adeus ao próprio Ramos e o recomeço com Walter. Chega de embromação.

Chega!

Catarina apanhou o garfo com a mão direita. O copo com a esquerda. Antunes levantou a cabeça, parou de comer momentaneamente, como se intuísse que algo importante estava para acontecer. Seria alguma espécie de pressentimento? Catarina olhou em seus olhos miúdos. Ele cortou mais um pedaço da linguiça. Espetou-o com o garfo. Passou na farofa. Levou-o à boca sem desfitá-la. Ela suspirou.

Adeus, gordinho.

E bateu no copo.

38. “Ramos ergueu o machado”

Antunes ainda mastigava um naco de linguiça quando o chão se abriu. Garfo e faca voaram pelos ares, Antunes sentiu-se engolido pela terra, tossiu, engasgado com a farofa e a linguiça. O encosto da cadeira, porém, bateu na borda do alçapão e deu tempo a Antunes para se apoiar na tampa. As pernas ficaram pendendo no vazio, a cadeira caiu pelo buraco, mas Antunes, milagrosamente, teve forças para se sustentar. Ficou ali, em pânico, o peito e a cabeça chão acima, as pernas balançando, sem apoio, os braços gordinhos forcejando para impedir a queda. Lutava, dava chutes na tampa do alçapão, esperneava em busca de algum apoio.

Catarina levantou-se, espantada com tanta persistência. Antunes olhou para ela, como que pedindo socorro. Lá embaixo, Ramos rosnou:

– Desgraçado!

Antunes teve uma rápida percepção do que estava acontecendo. Ramos lá embaixo. Catarina parada, olhando. Ele prestes a mergulhar na escuridão. Intuiu que não podia se deixar cair. Não podia. Olhou para Catarina, numa súplica muda. Chutava a porta do alçapão, tentava alçar-se para o assoalho. Gemia. Cuspiu a linguiça e a farinha. Falou, baixinho, ofegante:

– So-so-co-co-corro!

Catarina o encarou, os olhos muito arregalados e verdes. Como se estivesse surpresa.

– Soc... socorro! – repetiu.

– Maldito! – berrou Ramos no porão, olhando para cima, tentando alcançar os pés balouçantes de Antunes, que esperneava formidavelmente. – Gordo maldito! Vou subir aí, desgraçado! Vou te pegar!

Antunes ouviu a ameaça e, aí sim, ficou desesperado. Ouviu os passos pesados de Ramos se afastando, depois subindo uma escada de madeira. Ele estava vindo! Ele iria pegá-lo!

– Socorro! Me ajuda! – gritou, sem nem gaguejar, afinal. – Socorro! Socorro! Me ajuda!

Catarina arregalou ainda mais os olhos verdes.

– Cala essa boca! – disse ela, aflita, levando o indicador à frente dos lábios. – Os vizinhos vão ouvir!

Antunes não compreendeu o argumento dela. Era exatamente isso que ele queria. Que os vizinhos ouvissem. Que o mundo ouvisse.

– Socorro! – berrou, e teve tempo de sentir uma ponta de orgulho por não estar gaguejando num momento tão decisivo. – Socorro!

Viu que Ramos se aproximava correndo, com um machado na mão. Olhou-o, impotente. Ramos ergueu o machado, o rosto vermelho de raiva. Antes que a lâmina descesse em sua direção, Antunes cogitou se não seria melhor deixar-se cair porão abaixo.

39. “O caroço da viúva”

Dona Honestina.

A primeira pessoa a entrar na sapataria, naquela manhã, havia sido dona Honestina.

Walter considerou mau agouro. Esperava por Antunes, por Brasiliano, sobretudo esperava por Catarina, mas quem chegava era dona Honestina, outra vez. Será que passaria mais um dia sem notícias de Catarina ou dos amigos?

Dona Honestina estava especialmente excitada. Falava sem parar a respeito de sua amiga Ambrosina, viúva que residia no beco do Poço. Era evidente que Walter já devia saber a respeito do caroço da viúva Ambrosina. Claro que já sabia.

Não, Walter não sabia. Dona Honestina ficou pasmada. Levou as mãos à cintura.

– Em que mundo o senhor vive, seu Walter, que o senhor não sabe do caroço da viúva Ambrosina?

Walter deu de ombros. Dona Honestina balançava a cabeça, recriminatória, mas exultante: ia contar uma novidade absoluta para o sapateiro. Era maravilhoso. Era uma realização. Limpou a garganta. Deu a partida.

Ocorreu que um dia a viúva Ambrosina acordou sentindo um caroço bem no meio do umbigo. Levou a mão à barriga. Apalpou. Um caroço redondo, mais ou menos do tamanho de um ovo de galinha. A viúva Ambrosina ficou intrigada. Que seria aquilo? Tomou chá de carqueja, de marcela, de boldo. Tomou todos os tipos de chá para ver se diminuía o caroço. Não diminuiu. Ao contrário, o caroço foi crescendo a cada dia. Crescendo, crescendo. Crescia sempre durante a noite. A viúva Ambrosina ia dormir olhando para o caroço, medindo-o com as mãos. Ao acordar, a primeira coisa que fazia era medi-lo de novo. Estava sempre maior. Cada dia maior. Ficou do tamanho de uma cabeça de homem.

Seu Walter tinha certeza de que nunca ouvira falar do caroço da viúva Ambrosina? Sim, Walter tinha completa certeza. Dona Honestina mal podia acreditar, a cidade inteira comentava acerca do caroço da viúva Ambrosina, onde Walter havia colocado a cabeça nos últimos dias?

Mas o que aconteceu foi que o caroço continuou aumentando. Parecia que a viúva Ambrosina estava grávida, e foi isso que se espalhou pela vizinhança. A viúva Ambrosina está grávida, que escândalo. Quem será o pai do filho que a viúva Ambrosina carrega com dificuldade no ventre? Mas não era possível. Não era mesmo. A viúva Ambrosina contava já mais de setenta anos, estava murcha por dentro, seca feito um tronco de árvore serrado. A não ser que fosse como Sara, mulher de Abraão, que, em idade avançada, concebeu Isaac. Mas seu Walter sabia, lógico que sabia, que isso só se dera por interferência divina. O próprio arcanjo Gabriel visitara a anciã Sara em meio aos rigores do deserto do Oriente Médio e avisara que ela teria um filho, e ninguém na cidade de Porto Alegre tinha notícias de que o Arcanjo fora visto, ele, suas asas alvas e sua espada de fogo, revoando pelo beco do Poço ou imediações. Enfim, para encurtar a história, que dona Honestina sabia que seu Walter era um homem muito ocupado com todos aqueles calçados por remendar, o fato é que a viúva Ambrosina acordou uma manhã com a barriga inchada como se dentro dela houvesse não um filho, mas uma ninhada. Isso havia sucedido poucos dias atrás. A viúva não caminhava mais, só ficava no leito, gemendo ao peso fantástico do caroço que lhe esgarçava o umbigo e lhe inchava o ventre e dava a impressão de que ia estourar a qualquer momento, espalhando as tripas da viúva Ambrosina por todo o recinto. Todos os médicos tinham sido chamados, tinham receitado óleo de rícino, sangrias, tudo o que a medicina moderna conhecia. Nenhum sabia mais o que fazer. Foi então que um velho índio encardido e enrugado, egresso do lado paraguaio das Missões, um índio que, ao que consta, é um desses charruas selvagens e indomáveis que lá na tribo dele era pajé ou feiticeiro ou curandeiro, sabe-se lá, pois esse índio apareceu de inopino no beco do Poço, perguntando pela viúva portadora de caroço no bucho. Levaram-no à viúva Ambrosina, que, naquele momento, já estava encomendando a alma ao Criador. O índio chegou quieto e misterioso, o seu Walter precisava ver a forma imponente com que ele entrara no quarto da viúva Ambrosina, espantando amigos, parentes e vizinhos que há dias cercavam o leito da doente. Aproximou-se dela sem dizer um bons-dias, um como vai. Ali, à vista de todos, o índio apalpou o ventre enorme da viúva. Então, riu. Dizem que nunca ninguém havia visto aquele índio rir, e sua risada foi medonha, assustando todos os presentes, como se tivessem testemunhado a gargalhada do próprio dimonho. Falou, então, pela primeira vez, e sua voz era roufenha e áspera, como se ele não falasse há muito, muito tempo. Disse que podia livrar a viúva Ambrosina do Mal, se ela obedecesse a ele. Nossa Mãe do Céu, a viúva Ambrosina é uma carola, uma católica apostólica romana convicta, vai à missa todos os dias, duas vezes por dia, de manhã e à noite, comunga sempre que pode, reza o terço, não dorme sem entoar pelo menos dez salve-rainhas, mas a viúva Ambrosina estava desesperada, olhou com os olhos inflamados para o índio e disse que faria o que ele quisesse, que lhe obedeceria até o inferno, que Deus Nosso Senhor nos livre. Depois disso, o índio, sempre em silêncio, retirou ingredientes de um embornal que levava a tiracolo. Uns pozinhos de todas as cores, uns líquidos oleosos. Preparou ali mesmo, no quarto, diante da assistência perplexa, uma substância de cor preta, viscosa, de cheiro repugnante. Aí, para horror de todos, tirou para fora das calças de pano rústico um membro flácido de índio e, fazendo as senhoras taparem os olhos com as mãos e os homens balançarem a cabeça de reprovação, urinou dentro do pote. Mexeu o preparado com o próprio dedo, até que tudo ficou bem misturado numa cor uniforme, marrom-escura. Quem viu e sentiu o odor daquilo recuou, enojado. Ninguém acreditava que a viúva Ambrosina seria capaz de ingerir aquela gororoba. Mas, quando o índio ofereceu a ela, mandando que bebesse todo o conteúdo do frasco sem respirar, ela não hesitou. Preferia qualquer tortura ao caroço que crescia dentro dela. Tomou tudinho, bufando e suando, fazendo todos os demais franzirem o rosto, de asco. E qual a surpresa, o seu Walter nem adivinhava, quando, logo após beber o troço, ela começou a tossir e a engasgar e a urrar de dor, como se estivesse parindo um filho. A viúva ficou lívida, depois seu rosto esverdeou, depois arroxeou e em seguida preteou. Ia morrer. Era certo que ia morrer. Estavam todos já com as mãos postas sobre o índio, acusando-o de envenenamento, quando a coisa começou a sair. Por cima e por baixo, se é que o seu Walter entendia. Por cima e por baixo da viúva Ambrosina saiu uma meleca carnosa e peluda sem forma definida, que ficou se contorcendo na cama e no chão do quarto até se imobilizar de todo, como se tivesse perdido a vida, se é que uma coisa daquelas poderia ter vida. Foi horrendo, foi o espetáculo mais terrível já visto naquela região. A viúva Ambrosina ainda se quedou algum tempo empapada em suor, tossindo, arfando, fraca demais, mas o índio garantiu que ela se recuperaria, e ela, de fato, se recuperou. A viúva perguntou o que o índio queria como paga, disse que lhe daria o que ele quisesse, mas ele só pediu para levar o pedaço de carne peluda que ela havia parido e vomitado. Ela concordou, claro. Ele enfiou aquilo no embornal e se foi, silencioso como tinha chegado, encurvado, sujo, misterioso, sabe-se lá para que lugar deste vasto mundo de meu Deus.

– Não é incrível, seu Walter?

Dona Honestina ofegava, muito vermelha, inflamada pela história que ela própria contara. Walter balançou a cabeça.

– Incrível é a palavra certa para definir essa história.

– Isso aconteceu agorinha, seu Walter. Agorinha. E o senhor não sabia de nada – continuou ela, apertando os lábios finos. – Em que mundo o senhor vive, seu Walter?

Dona Honestina saiu da sapataria ainda balançando a cabeça, incrédula com a desinformação do sapateiro. Vendo-a ir-se pela rua, falando sozinha, Walter também se perguntou em que mundo ele vivia. Um mundo onde as pessoas que amava certamente não passavam. Não suportaria mais um dia sem notícias dos amigos ou de Catarina. Já pensava em fechar a sapataria e ir atrás de Antunes e Brasiliano quando ele chegou.

Foram os latidos de Januário que o avisaram da chegada de Brasiliano. O sapateiro saltou da banquetinha e saiu para a rua, de avental e tamancos, martelo em punho, ansiedade no fundo dos olhos amarelos.

– Januário, seu guaipeca! – gritava Brasiliano.

Walter riu ao ver Brasiliano chamando o cachorro, que entesara diante da casa número 27, latindo furiosamente.

– O que deu nesse bicho? – perguntou-se Brasiliano, uma mão coçando o bigode, outra na cintura. – Deu pra latir pro açougue agora? Enlouqueceu? Vem cá, Januário! – e, olhando para Walter: – Bons dias, amigo!

– Bons dias! Essa noite foi a maior gritaria aí na casa – apontou com a cabeça para o número 27. – Vai ver o Januário não gosta de bagunça noturna. Onde você andava, seu safado?

– Nem te conto! Cada coisa que me aconteceu! Acho que estou com mel, amigo Walter. As mulheres estão doidas por mim ultimamente.

– Vamos entrar. Aí você me conta suas aventuras.

Entraram. Walter contornou o balcão. Sentou-se outra vez à banquetinha.

– Guri! – começou Brasiliano, fincando os cotovelos no balcão. – Sabes onde passei as duas últimas noites?

– Na vagabundagem, claro.

– Na casa da Bronze!

Walter lembrou da bela morena que o visitara, dias antes. Precisava contar sobre aquilo para Brasiliano.

– Foi a primeira vez que ela me deixou dormir lá. Antes, me despachava de madrugada mesmo. Desta vez, não só dormi lá duas noites, como ela me fez passar o dia inteirinho na casa dela. Fechou a casa, não deixou ninguém entrar. Passamos o dia na cama. Uma loucura, amigo! Estou tonto de prazer! Ela só dizia que me retinha lá pra me livrar do perigo. Rapaz, como é bom estar em perigo!

Walter riu. Apanhou a faquinha de cortar couro. Com a lâmina afiadíssima, fez uma incisão num pedaço de couro e começou a cortar no formato aproximado de uma sola. Brasiliano se admirava cada vez que via Walter protagonizando aquela operação. Ele cortava o couro como se fosse patê. Uma vez, Brasiliano pediu para usar a faquinha. Walter sorriu com condescendência e, em silêncio, lhe passou a faquinha e um rolo de couro. Com toda a sua força, que não era pouca, Brasiliano mal tirou uma lasca do couro. O amigo Walter era forte e jeitoso no seu ofício.

– E tem mais! – continuou o anspeçada. – Hoje de manhã cedo, quando cheguei em casa, vi um bilhete debaixo da porta. Olha só.

Passou para o sapateiro um pedaço de papel pequeno, dobrado, do tamanho de um maço de cigarros. Walter largou o que fazia e o abriu. O recado fora escrito numa letra redonda, bem desenhada:

"Brasiliano, por favor, venha à minha casa ainda hoje, às vinte horas. Preciso falar com você.

É urgente. E, por favor, não mostre este bilhete a ninguém. Ass.: Catarina."

Walter se sentiu corar ao ler o nome dela. O que significava aquilo?

– O que significa isso?

– Não sei direito – respondeu Brasiliano. – Mas anteontem aconteceu uma coisa muito estranha: encontrei essa dona à noite, na rua dos Pecados Mortais.

O coração de Walter se comprimiu. Uma tristeza profunda se lhe instalou na garganta. Não ia disputar a mulher com o amigo. Os amigos estavam acima de tudo.

– O que ela fazia lá?

– Disse que ia comprar umas ervas porque sua criada estava doente. Não engoli essa. Acho até que ela estava atrás de mim. Será que agora ela está me chamando para pedir que não conte a ninguém que a vi lá?

– Pode ser... – Walter baixou a cabeça. Voltou ao serviço, triste. Sentia-se, de fato, muito triste.

40. "E o abateria ali mesmo, na cama"

– Vá para o seu canto. Não demora o anspeçada vai estar aqui.

Catarina viu Ramos balançar a cabeça, em grave concordância, e se afastar pesadamente em direção à escada que levava ao porão. Ele desceria a escada, atravessaria todo o porão e subiria por uma outra, no lado oposto da peça, que levava à câmara oculta e ao armário por onde o açougueiro frestearia os acontecimentos do quarto.

Catarina apoiou as mãos na cintura, pensativa, enquanto observava Ramos se afastando. As coisas estavam se complicando. Recebera a confirmação de que Brasiliano viria visitá-la às vinte horas, mas agora quem começava a incomodar era a mulher do padeiro. Ainda de madrugada, Rosa bateu à porta de sua casa, à procura do marido. Ramos primeiro tentou negar que se encontrara com o padeiro, mas, quando percebeu que Rosa sabia que o marido estivera lá, mudou de estratégia. Passou a dizer que Antunes empreendera uma viagem rápida, que voltaria em dois dias, tudo por conta do tal negócio que eles supostamente haviam fechado. Rosa fitou-o de lado, os olhos faiscando de desconfiança. Estava claro que não acreditara na história, mas aceitou-a assim mesmo, certamente pensando no negócio com o açougue. Aquela mulher miúda e seca só amava o dinheiro. Horas depois, no entanto, ela retornou, insinuando que procuraria o chefe de polícia Dario Callado. Com certeza, queria mostrar que tinha trunfos, que podia levar muito mais na negociação. Ramos conseguiu demovê-la da ideia da polícia a muito custo. Quando Catarina, nervosa, sugeriu passar a mulher no fio do machado também, Ramos apenas grunhiu:

– Deixe que dessa eu me ocupo.

Dessa eu me ocupo. Catarina sabia muito bem o gênero de ocupação que ele reservara para a mulher do padeiro. Há tempos estava seduzindo aquela baixinha sem sal, com o objetivo de tomar a padaria. Certamente, seu plano era convencê-la de que o sumiço do marido seria bom para os dois. Pois sim!

Mas Catarina pensaria em Ramos e Rosa mais tarde. Agora, precisava se preparar para receber Brasiliano. Seria uma operação mais difícil do que as outras. Brasiliano era um homem grande, um soldado, devia estar acostumado à luta. Além disso, o gordo Antunes tinha arruinado o dispositivo do alçapão. O gordo dera tantos chutes, se debatera tanto, que danificara a mola da tampa. E não havia tempo para consertar.

Gordo obstinado. No momento em que Ramos desceu o machado sobre sua cabeça, ele se deixou cair no porão. A machadada pegou de raspão, não matou o gordo de imediato, como os demais. Ele ficou lá embaixo, gemendo. Ramos teve de descer correndo as escadas e caçá-lo pelo porão, enquanto ele se arrastava, provavelmente com a perna quebrada. Gordo teimoso. Será que toda aquela excitação na hora da morte não lhe endureceria a carne? Talvez não prestasse mais para dar uma boa linguiça. Nem todos dão boa linguiça. Aquele magérrimo Duarte praticamente não havia prestado. Depois de Duarte, Catarina prometera a si mesma não caçar mais magros. Brasiliano não era magro nem gordo. Era forte. Era grande.

Para Brasiliano, Ramos precisou conceber um plano diferente: Catarina o distrairia no quarto, tiraria a roupa, o puxaria para a cama. Quando o anspeçada estivesse relaxado, Ramos sairia do seu esconderijo, desceria para o porão, subiria pela outra escada, a fim de apanhá-lo pelas costas. Com todo o cuidado, ele entraria no quarto e o abateria ali mesmo, na cama. Catarina não gostou muito da ideia de ter o seu colchão manchado de sangue, mas não sobrara outra alternativa.

Ouviu então os latidos furiosos do cachorro do anspeçada. Maldito cachorro. Havia passado o dia a latir para a sua casa. Teria pressentido algo? A morte do padeiro, talvez? O cachorro também teria de ser liquidado. Que gosto teria linguiça de carne de cachorro? Bem, isso ela não tentaria descobrir. Ia sugerir que Ramos mandasse a linguiça da carne do cachorro de presente para o major Câmara, um tipo garboso que vira descendo a rua da Ladeira, dias atrás. O major habitava um imponente solar na rua da Igreja, de onde ele e sua bela mulher Maria Rita tinham vista para toda a cidade. Era um herói das guerras contra o Uruguai e a Argentina e preparava-se para lutar no Paraguai. Com certa frequência, algum criado do casal descia ao açougue da rua do Arvoredo e encomendava quilos da linguiça especial para uma recepção ou sarau que seria oferecido na mansão cor-de-rosa. Ramos então comentava, exultante:

– Hoje, a aristocracia vai provar a linguiça especial no Solar dos Câmara.

O major Câmara e suas recepções festivas. O major Câmara e sua barba veneranda. O major Câmara, sua esposa delicada, seus brasões, seu solar. Seu lindo solar. Por que Catarina não poderia, ela mesma, viver numa mansão daquelas, ela e seu bom Walter? Por que o solar tinha de ser a vivenda do major Câmara e da sua frágil Maria Rita? Por ser ele um herói guerreiro? Pois sim. Catarina lhe enviaria uma remessa da nova linguiça de carne de cachorro. Os heróis merecem provar as novidades antes da gentalha que vive em choças na região pobre da cidade.

Batidas na porta.

Brasiliano.

Era chegada a hora.

41. "Toda rigidez e sexo, puro sexo"

– Mas fica quieto, Januário! O que é que deu em ti, guaipeca?

Enquanto Brasiliano xingava o cachorro, que latia furiosamente, a porta se abriu. Ele se empertigou. A figura loira de Catarina assomou à soleira, um lampião na mão esquerda. Brasiliano sentiu a garganta fechar de emoção. Mas como ela era linda! Seria mais do que a Bronze? Belezas diferentes, isso sim. Catarina era mais delicada, mais macia. Devia ser bom de pegar naquela coisinha. Ah, Brasiliano ia se fartar se pudesse pôr as mãos naquelas carnes tenras e brancas! A Bronze era diferente da loira. A Bronze era toda rigidez e sexo, puro sexo. Jesus Cristo! Sentia atração pelas duas. Imaginou ter as duas na cama ao mesmo tempo. Que sonho esplendoroso! Mas impossível. A Bronze desancara Catarina naquela noite. Falara tudo de mal dela, que Brasiliano deveria se afastar daquela putana, que ela não lhe inspirava confiança, que era perigosa. Imagina uma coisinha assim perigosa... A gritaria da Bronze só podia ser fruto da eterna rivalidade entre loiras e morenas. Como se odeiam, as loiras e as morenas. Mas, ao mesmo tempo, Brasiliano suspeitava que se invejavam. Se pudessem, muitas das loiras se transformariam em morenas e muitas das morenas se transformariam em loiras. Ah, que doce concorrência essa, da qual só quem poderia lucrar era o consumidor. No caso, ele, o velho Brasiliano Cavalo.

– Buenas noches – cumprimentou, tirando o chapéu numa reverência.

– Boa noite, querido.

Querido? Bom sinal. Começava a adorar quando ela o chamava de querido.

– Vamos entrar – disse, com a vozinha de leite condensado. – Mas antes vou lhe pedir um favor.

Brasiliano levantou as sobrancelhas.

– Favor?

– Pode deixar o cachorro na rua?

Brasiliano olhou para Januário.

– Januário? Pobrezito. Mas não admira. Desde ontem esse guaipeca não para de latir e chorar quando passa pela frente da sua casa. Coisa estranha. Está bem. A senhora manda. Januário! Senta! Senta!

Januário obedeceu.

– Fica aí! Já volto!

Januário ficou, contrariado. A porta se fechou praticamente no seu focinho.

Brasiliano entrou, satisfeito. Analisou a sala de poucos móveis. Havia uma depressão no assoalho, perto da mesa. Uma falha no piso. Parecia um alçapão. Estranho, um alçapão ali. Ao lado, uma mancha escura que fora lavada recentemente. Mal-lavada. Sangue?

– A senhora queria conversar comigo...

Catarina riu. Dentes alvíssimos. Não era normal alguém de dentes tão brancos. Viviam numa província de desdentados. Vai ver ela tratava os dentes com carvão. Nada melhor para limpar os dentes do que carvão. Brasiliano anotou mentalmente a intenção de passar muito mais carvão em seus dentes, dali por diante.

– Quero mais do que conversar – ela respondeu, uns erres maliciosos na frase. – Mas não aqui: lá.

Apontou com a cabeça para um corredor comprido. Certamente, o corredor levava aos quartos. Rapaz, a mulher era ligeira mesmo. Mas onde estaria o açougueiro?

– E Ramos, por onde anda? – quis saber Brasiliano, prevenido.

Catarina abriu ainda mais o sorriso.

– Em São Leopoldo. Viajando a trabalho. Vou passar a noite sozinha. Bem... – e olhou significativamente para Brasiliano, da cabeça aos pés. – Talvez não totalmente sozinha.

Ligeira!

– Aquela noite, a rameira que se diz sua amiga nos atrapalhou. Espero que isso não ocorra novamente.

– Rameira? A Bronze?

– Quem mais?

A eterna e proveitosa rivalidade entre loiras e morenas.

– Ela gosta de mim.

– Não duvido. O senhor é um homem "gostável".

Brasiliano riu, contente com o elogio.

– Mas vamos lá para dentro.

Ela pegou em sua mão. Brasiliano sentiu a mãozinha macia sumir em sua manopla. Caminharam de mãos dadas, como se fossem namorados, Brasiliano sentindo já uma suave porém deliciosa ereção. Enfiaram-se no corredor. Catarina abriu a primeira porta, à direita. O quarto. Largou a mão dele. Andou mais alguns passos. Parou à beira da cama. Levou as mãos às costas. Num gesto brusco de braços e ombros, livrou-se do vestido tão verde quanto seus olhos. Não usava anáguas, não usava calcinhas, não usava cinta, nada. Brasiliano admirou aquela nudez formidável. Até a pentelhama era loira. Abriu a boca.

– A la pucha!

Catarina escorregou para a cama, lânguida como uma gata vadia.

– Vem – convidou.

– A la pucha! – repetiu Brasiliano, encantado. Sentiu uma agora enérgica ereção enchendo-lhe as bombachas. Sentou-se na cama para tirar as botas, sob o olhar dengoso de Catarina, que o observava deitada de lado, o cotovelo apoiado no colchão, a cabeça apoiada na mão esquerda.

– A la pucha! A la pucha! – Brasiliano livrou-se rapidamente das roupas e se postou de pé. Queria que ela admirasse seu membro duro feito uma lança farrapa, imponente feito o edifício Malakoff. Pois era justamente isso que tinha no meio das pernas: um arranha-céu!

42. “Por onde ele devia estar espiando”

Catarina impressionou-se com o tamanho do troço que Brasiliano carregava fincado na virilha. Já vira muito disso na vida, mas aquele, de fato, podia ser considerado fora dos parâmetros. Maior até que o de Ramos. Um homem realmente bem provido pela Mãe Natureza.

Hesitou.

Não apreciava a ideia de ser empalada por aquela coisa. Será que a Bronze não se intimidava ante tal portento? Olhou dissimuladamente para o armário onde Ramos se escondia. Tentou encontrar a pequena fresta por onde ele devia estar espiando. Queria lhe mandar um sinal. Vem logo!, era isso que queria dizer. Me salva! Esperava que ele surgisse com o machado antes de Brasiliano tentar executá-la. Ou será que ele sentiria prazer em vê-la sendo submetida a esse gênero de sacrifício? Brasiliano estava empolgado, via-se.

Aí vinha ele.

– Agora tu vais ver o que é bom! – jactava-se o soldado, aproximando-se. – Agora tu vais ver!

Catarina fez uma careta. Recuou um pouco na cama, movida pelo instinto de preservação. O soldado ria, contente.

– Tu vais ver! – repetiu.

43. “Quatro corpos”

Ramos se admirou com as dimensões do membro do outro. Invejou-o. Um sentimento dúbio o assaltou: deveria deixar que ele consumasse o ato com Catarina? A ideia era excitante. Vê-la de pernas abertas, sendo trespassada por aquela monstruosidade, aí estava algo que o emocionava. Mas, ao mesmo tempo, teve ciúme. Catarina poderia gostar, e ele, Ramos, não tinha como competir com o anspeçada. Além do mais, houve aquele olhar que ela lhe lançou da cama. Isso nunca havia acontecido antes. Catarina sempre soube dissimular muito bem a sua presença a poucos metros, do outro lado do armário. Mas, agora, lhe lançara aquele olhar. Por quê? Seria um olhar jocoso? Estaria, quem sabe, lhe dizendo: isso sim é que é equipamento? Não. Não! Ramos não permitiria que ela usufruísse daquele prazer. Que, depois, ficasse comparando os dois. Ia acabar com o soldado agora mesmo. Teve ganas de abrir as portas do armário de par em par e saltar sobre Brasiliano. Mas seria uma imprudência. O ideal era atacá-lo pelas costas, com segurança, como o planejado. Não, Ramos não permitiria que o ciúme lhe roubasse a razão. Teria calma. Atacaria o anspeçada com certeza infalível.

Virou-se, deixando para trás a cena que se passava na cama. Desceu com forçada serenidade as escadas que levavam ao porão. Ainda tentando manter a tranquilidade, procurando não fazer o mínimo ruído, atravessou o porão de terra batida, contornando o corpo do gordo Antunes e o belo corpo da criada Emiliana, postos lado a lado. Não tivera tempo de esquartejá-los e descarná-los, temia que em pouco tempo não servissem mais para a linguiça. Previa muito trabalho para os próximos dias: Emiliana, Antunes, Brasiliano e, em seguida, o sapateiro Walter. Conseguiria fazer tanta linguiça antes de a carne estragar? Quatro corpos. Uns trezentos quilos de carne e osso, provavelmente. Impossível. Poderia salgá-los e transformá-los em charque... É, aí estava uma boa ideia. Um novo produto de sucesso do seu açougue, o charque especial.

Apanhou o machado, que repousava encostado à parede. Examinou o fio. Precisava afiá-lo urgentemente. Subiu as escadas que levavam à sala. Na sala, teve o cuidado de se esgueirar para não ser visto. Escondeu-se atrás da cortina. Depois, deslizou por entre os móveis. Necessitava de paciência para não cometer erros. O anspeçada era grande e forte. Se lutassem, poderia enfrentar problemas. Entrou no corredor. Alcançou a porta do quarto. Foi se chegando com cautela. Muita cautela.

44. “Em posição de abate”

Catarina notou que a cabeça de Ramos aparecera rapidamente no canto da porta. Ele preparava o ataque. A ansiedade tomou conta dela. Ajoelhou-se na cama. Queria colocar Brasiliano em posição de abate, de costas para a porta.

– Calma – miou para o anspeçada. – Calma... Vem cá... Assim...

Brasiliano sorriu. Salivava, ansioso para agarrá-la. Postou-se na posição que ela desejava.

– Delícia – sussurrava. – Delícia...

Aproximou-se, engatinhando pelo colchão, rindo, o membro apontado para ela feito um aríete. Ela se encolheu no fundo da cama. Ficou sentada, as costas apoiadas na cabeceira. Para excitá-lo ainda mais, afastou os joelhos lentamente. Brasiliano olhou para seu sexo de olhos arregalados.

– Delícia... – repetiu.

Nesse instante, Ramos surgiu à porta, machado em punho. Um gigante, ameaçador, perigoso. Catarina sabia que não precisava temê-lo, mas a visão de Ramos, seu olhar malévolo onde relampejava a fúria, isso lhe esguichou um jato de horror nas veias. Ramos ergueu o machado acima da própria cabeça. Preparou o golpe. Calculava a posição de Brasiliano, preciso, mortal. Catarina se encolheu um pouco mais, agora com receio de que o sangue espirrasse nela. Então, Brasiliano percebeu que ela olhava para algo às suas costas. Virou a cabeça, intrigado.

– Quê?...

Não teria tempo de reagir, claro que não teria, Ramos já havia desencadeado o movimento para lhe rachar o crânio ao meio. Mas aí Ramos vacilou. O machado ficou suspenso por um momento, até que as mãos do gigante amoleceram. Soltaram-no devagar. O machado desabou no assoalho com estrondo. Os olhos do monstro se tornaram vidrados. Ele abriu a boca, como se fosse falar algo, mas emitiu apenas um som seco, de dor:

– Uh...

E ruiu. Essa a palavra: ruiu. O corpo enorme do açougueiro desabou sobre a cama, de bruços. Em seu lugar, atrás dele, apareceu Walter, com o martelo de ferro ainda levantado e ensanguentado.

– Meu Deus – balbuciou o sapateiro, horrorizado. – Eu o matei.

45. "Caído de borco na cama"

Walter ficou olhando para Ramos. O gigante estava caído de borco na cama, um filete de sangue escorrendo pela nuca. Walter enxergava seu olho direito, aberto, vidrado, baço, fitando algum ponto do assoalho de madeira. Obviamente, morto.

– Morto – concluiu Brasiliano, saltando da cama, debruçando-se sobre o corpo.

– Walter, meu amor – Catarina, completamente nua, também saltou da cama.

Meu amor? Nua, partilhando a cama com seu amigo Brasiliano, o marido morto a marteladas, e ela vinha com "meu amor"? Walter a fitou como se não a conhecesse.

– Meu amor! – repetiu ela, colhendo o vestido verde do chão, vestindo-se com pressa.

– Esse sujeito ia me matar a machadada! – disse Brasiliano, também levantando suas roupas. – Isso é que é marido ciumento, cruz-credo. Tu me salvaste, amigo Walter!

– Meu amor! – Catarina, o vestido jogado nos ombros, ainda aberto às costas, atirou-se sobre Walter. Ele não a repeliu, mas também não a abraçou.

– Meu amor? – Brasiliano estudou a cena. – Que história é essa? O que está acontecendo, amigo Walter? Tu já estavas aqui dentro?

– Não – Walter deixou o martelo cair sobre o colchão, ao lado do corpo de Ramos, que ele não desfitava. – Não. Desconfiei quando você me mostrou aquele bilhete da Catarina. E hoje a Rosa veio me procurar. Disse que o Antunes não dormiu em casa. Que ontem à noite veio visitar o Ramos e não voltou. Ela procurou o Ramos, e ele contou uma história estranha: que o Antunes tinha ido a São Leopoldo, acertar uns negócios que eles haviam fechado. Ela não acreditou, claro. Também não acreditei. Decidi ver o que aconteceria aqui quando você viesse. Por precaução, peguei meu martelo – olhou para o martelo no colchão. – Esperei que você entrasse. Fiquei espiando pela janela, ao lado do Januário. Então, vi o Ramos se esgueirando pela sala, com esse machado – apontou para o machado. – E resolvi entrar.

Walter falava tristemente, quase desanimado.

– Que sorte a minha, amigo. Mas, ei! – virou-se para Catarina. – Esse cara não estava em São Leopoldo? – e apontou para o cadáver.

– Vou explicar tudo – Catarina começou a soluçar. – Vou explicar.

– É bom mesmo – advertiu Brasiliano, calçando as botas.

– Preciso chamar a polícia – balbuciou Walter. – Preciso chamar o Callado. Eu matei um homem.

– Polícia? Não! – reagiu Catarina. – Eles vão prender você!

– Se ele não desse aquela martelada no Ramos, o Ramos me matava – argumentou Brasiliano. – Foi praticamente legítima defesa.

– Vou procurar o chefe de polícia – informou Walter, desvencilhando-se do abraço de Catarina.

– Não! – protestou ela. – Espere um pouco. Espere! Antes, você precisa saber de algumas coisas. Preciso de tempo pra lhe contar essas coisas.

– Que coisas podem ser? – Walter recuou um passo, irritado. – Você estava nua, na cama, com meu amigo!

– Ele me obrigava! – Catarina apontou para Ramos. – Me obrigava! – e desatou a chorar pungentemente.

Walter sentiu a compaixão lhe fechar a garganta. Ela parecia tão desamparada, chorando aos arrancos, as mãos cobrindo o rosto. Aproximou-se dela. Abraçou-a.

– Tudo bem, tudo bem – consolou-a.

– Você precisa me ouvir. Precisa!

Brasiliano olhava de Walter para Catarina e de Catarina para Walter, surpreso com a intimidade que havia entre os dois. O que estava acontecendo? O amigo então tinha um caso com a loira mulher do açougueiro? Como ele nunca havia lhe contado nada? Puxa, se Walter tivesse contado, era claro que Brasiliano nunca tentaria nada com a loira. Walter tendo um caso. Que finório! Coçou a cabeça.

– O que está acontecendo? – perguntou.

– Está certo – Walter falava com Catarina, sem prestar atenção a Brasiliano. – Vou ouvir. O que você quer dizer?

– Agora, não – ela fungava. Afundou o rosto no peito de Walter. – Não aqui. Preciso de tempo.

Walter olhou para Brasiliano, enfim. Brasiliano ergueu as sobrancelhas, como que perguntando de novo o que acontecia.

– Vamos fazer assim – propôs o sapateiro: – Vamos fechar tudo aqui. Deixar como está. Vamos até ali em casa, nos sentamos e você nos conta tudo. Principalmente sobre o Antunes. Onde está o Antunes? Ele está bem?

Catarina soluçava baixinho.

– Ele está bem – falou, aproximando-se novamente, acariciando o rosto de Walter. Ele sentiu o perfume suave da mãozinha dela. Seu toque macio. Enterneceu-se. – Vou explicar tudo – prosseguiu ela. – Mas quero falar sozinha contigo.

Walter olhou para Brasiliano mais uma vez.

– Sozinha?

– Sozinha. Por favor – Catarina abaixou a cabeça loira, submissa.

– Bom... Está bem. Eu e ela vamos ali para casa, Brasiliano. Depois, vou me entregar à polícia.

– Vou contigo quando tu fores à polícia – apressou-se o anspeçada. – É importante eu ir contigo.

– Certo. Agora é tarde. De manhãzinha, às seis horas, vamos juntos falar com o Dario Callado.

– Seis horas. Combinado.

– Seis horas.

Saíram os três, Catarina com os braços cingindo o peito de Walter, ele segurando-a pelos ombros. Brasiliano, intrigado, seguido por Januário.

46. "Ela lhe beijava o pescoço"

Walter mergulhou o olhar no fundo dos olhos verdes dela. Suspirou. Como era linda. Mas havia muitos mistérios sem explicação para que ele pudesse se concentrar apenas naquele verde. Estavam de pé, no meio da sala de sua casa, sozinhos, enfim.

– Walter! – ela o abraçou de novo. Ele sentiu o cheiro dos cabelos loiros dela. Como era bom...

– Walter... – e beijava-o uma, duas, três, dez vezes. Beijava-o sem parar.

Walter queria explicações, mas também não queria que ela parasse. Beijava-o nos lábios, no rosto, no nariz, nos olhos, apertava-lhe os ombros e as costas, repetindo sempre: – Walter, Walter...

Como era bom...

As carícias continuaram. Ela lhe beijava o pescoço. Primeiro lentamente, depois rápido, profundo. Walter gemeu:

– Catarina...

Cada vez mais, cada vez mais. Com as duas mãozinhas brancas, ela segurou cada lado de sua camisa e, num rompante, a abriu. Dois botões saltaram para o chão. Beijava-lhe o peito. Mordiscava. Lambia.

– Catarina...

– Walter, Walter...

Baixou-lhe a camisa. Passava o rosto em seu torso nu.

– Walter...

Walter abria a boca, queria falar, não conseguia. Repetia, apenas:

– Catarina...

Em um minuto, ela estava ajoelhada diante dele, desafivelando-lhe a cinta, baixando-lhe as calças. Walter ia enlouquecer, queria morrer.

– Catarina...

Então, ela se levantou de um salto. Encarou-o, ofegante, o rosto muito vermelho, os olhos coruscantes.

– Bandido! – rosnou. – Eu sei o que você quer, bandido!

Walter olhou-a, perplexo, ainda de sapatos e meias, as calças frouxas, pendendo da cintura.

– Desgraçado! – ela arfou, recuando para a mesa no centro da sala.

Walter estava confuso. Não compreendia bem o que ela queria. O fato de estar sem camisa, com as calças abertas, o incomodava. Ajeitou a camisa nos ombros, fechou as calças. Catarina estava encostada na mesa, fitando-o de uma forma estranhamente furiosa. Sentia raiva? Ela levou as mãos para trás do vestido verde. Num jogo de ombros, desnudou-se. Era a segunda vez que Walter a via nua, mas agora era diferente. Agora era a sua nudez. A nudez destinada a ele. Para ele. Prendeu a respiração. Deu um passo na direção dela.

Catarina resfolegava. Olhava-o com os olhos flamejantes. Apoiou as palmas das mãos na mesa.

Impulsionou-se. Sentou no tampo. Afastou o globo para o lado. Abriu bem as pernas. Walter estacou. Sentia-se um pouco assustado com a sensualidade furiosa de Catarina. Ela abriu ainda mais as pernas.

– Desgraçado! – berrou. – Desgraçado!

Walter não entendia. Aproximou-se dela, a mão estendida num gesto carinhoso.

– Eu sei o que você quer, desgraçado!

As pernas bem abertas. Bem abertas. Um animal selvagem, uma fera.

Walter estava diante dela, entre suas pernas. Queria abraçá-la. Sua barriga encostou no sexo dela. Sentiu que estava úmida. Ela se jogou para trás, deitou as costas no tampo da mesa, arfando. Agarrou as bordas com as mãos. Era como se quisesse ser sacrificada. Balançava a cabeça para um lado e para outro, muito vermelha.

– Nããããããão! – gritou, e Walter reconheceu o grito de tantas noites da rua do Arvoredo. Então era aquilo que acontecia! – Nãããããão!

– Catarina – a voz de Walter era suave. – Catarina.

– Aquilo de novo! Não! Aquilo de novo! Nããããããão!

– Catarina... – Walter abraçou-a pela cintura. – Não vou te machucar, Catarina. Catarina... Catarina... – enlaçou-a ternamente com os braços, apertando a cabeça contra seu ventre nu.

Ela parou de gritar. Walter sentiu-se bem. Tinha conseguido. Com o amor, tinha conseguido. Ela respirava velozmente.

– Catarina... – ele beijou sua barriga lisa. Beijou, beijou. Acariciou a pele macia e branca da barriga, dos flancos, das coxas. Beijou-lhe a virilha – Catarina...

– Sai!

Para seu espanto, ela se desvencilhou dele, saltou da mesa, correu para o vestido, levantou-o do chão e cobriu o corpo com ele.

– Não! – ela começou a vestir o vestido, rapidamente. – Você não serve. Nunca vai servir.

– Quê?... – Walter não entendia nada. – Que...

– Walter – ela se aproximou dele outra vez, agora recomposta. Tinha se vestido em dez segundos. A fúria de minutos atrás se desvanecera. Ele tentou fechar a camisa, mas os botões haviam sumido. – Walter, só tem um jeito de ficarmos juntos.

Walter olhava em volta da sala, procurando os botões.

– Não entendo...

– Só tem um jeito – ela lhe segurou pelos ombros, exigindo sua atenção absoluta. Walter a encarou, confuso.

– Jeito?

– Vamos embora agora!

Ela falava muito perto dele. Walter sentia seu hálito quente e doce.

– Como assim?

– Vamos agora! Esquece tudo. Vamos pegar a charrete do Ramos e tocar para outra cidade. Outro país. Há tempo venho pensando em ir contigo para outro país. Argentina. Buenos Aires! Dizem que Buenos Aires é linda. Há tempo venho planejando isso. Mas vamos embora agora! Temos que ir embora agora!

– Como assim? – Walter sentia-se angustiado. – E o Antunes? Você ainda não me contou sobre o Antunes.

– Antunes! Antunes! – irritada, agora. – Deixe aquele gordo! O que importa o gordo?

– É meu amigo! – Walter levou a mão ao peito, ofendido. – O que aconteceu com o Antunes?

– Você não vai comigo?

– Primeiro precisamos esclarecer tudo. Onde está o Antunes?

– Esqueça o Antunes! – o grito de Catarina fez Walter recuar, assustado. – Esqueça tudo! Não se aproxime mais daquela casa – fez um gesto com a cabeça, indicando a casa número 27. – Esqueça o mundo. Vamos embora agora! Vamos viver a nossa vida e esquecer essa cidade!

– Não! – Walter estava realmente aflito. Por que ela queria fugir? O que teria acontecido com Antunes? Algo estava muito errado. Teve o pior pressentimento possível. – O que aconteceu com o Antunes? – agora era ele quem gritava.

Catarina afrouxou os ombros, resignada. Olhou de lado para o chão.

– Você nunca vai entender – suspirou.

– Do que você está falando? Cadê o Antunes?

– Está bem – ela parecia vencida. Do chão, olhou para a mesa. Caminhou até ela. Parou. Ficou brincando com o globo, girando-o no eixo, como se estivesse tentando localizar algum país, alguma cidade. Em seguida, tomou uma espátula que estava sobre uma pilha de papéis. Walter estremeceu. O que ela queria com aquela espátula? Teve medo de que ela quisesse ferir a si própria. Deu um passo na direção dela. Catarina, então, sentou-se na cadeira onde ele se sentava todas as noites, lendo, pensando nela. Ainda com a espátula na mão esquerda, ela ficou girando o globo com a direita. Girando, girando. Mirando o globo. Walter se aproximou mais um pouco. A espátula rebrilhava na sala mal-iluminada.

– Catarina... – sussurrou, estendendo a mão para lhe tirar a espátula.

De repente, ela parou de girar o globo. Fixou-o com a mão esquerda. Olhou para Walter, a espátula ainda ameaçadora na mão direita. Walter abriu a boca. Precisava dizer algo para convencê-la a soltar a espátula. Mas o quê? Catarina girou a espátula na mão, empunhou-a com a mão fechada, como se estivesse prestes a apunhalar alguém. Ou a si mesma. Walter estava a dois passos. Talvez devesse saltar sobre ela, lutar para lhe tirar a arma da mão, impedir que ela o ferisse ou ferisse a si mesma. Calculou o movimento que teria de empreender. Precisaria pular sem hesitação e, com a mão esquerda, deter a mão direita dela. Muito arriscado. Um gesto brusco poderia precipitar a ação de Catarina. Não, não. Melhor seria convencê-la com palavras. Seu pai sempre lhe falara do poder das palavras. “A inteligência é superior à força”, repetia sempre o velho. Agora, teria de usar sua inteligência. Mas dizer o quê? O quê? Tempo. Tinha de ganhar tempo.

– Catarina – começou a falar, suavemente, sem ter ideia precisa do que iria dizer. – Catarina, eu...

Ela levantou a mão direita, empunhando firmemente a espátula. Era agora. Ia acontecer. Walter estremeceu.

– Catarina! – gritou.

Ao que ela girou o corpo na direção da mesa e desferiu um golpe certeiro no globo. Walter se assustou. Deu um passo para trás. Em seguida, ficou aliviado. Olhou para o globo. A espátula estava cravada na América do Sul. Sentiu por seu globo, não gostou de vê-lo danificado, mas não iria repreender Catarina por aquela mesquinharia. Havia sido apenas um gesto de raiva com o qual ela possivelmente pretendia demonstrar sua revolta diante da situação. As mulheres são assim, dadas a gestos inesperados e inexplicáveis. Aproximou-se dela. Pôs os braços sobre seus ombros.

– Catarina...

Ela suspirou. Disse, enfim:

– Vamos até a casa. Você vai ver o Antunes.

47. “No meio do jardim, ela estacou”

Alta madrugada, já. Uma brisa gelada fez Walter sentir calafrios. Ele olhou para a casa maldita, número 27 da rua do Arvoredo, e a sensação de frio aumentou. Às suas costas, a colina que levava ao palácio da Presidência da Província, à igreja Matriz, ao antigo cemitério. As árvores eram mais frondosas naquela parte da rua, tornando o lugar ainda mais sombrio. Walter segurava um lampião na mão direita. Ele e Catarina pararam diante do portão de ferro do pátio. Entraram. No meio do jardim, ela estacou.

– Não – disse. – Não entro mais lá.

Walter parou também. Olhou para ela.

– Você prometeu.

– Você vai sozinho.

Ela parecia inflexível.

Walter apertou as pálpebras, e o amarelo de seus olhos luziu na escuridão.

– O Antunes está lá?

– Está.

– Onde?

– Não sei ao certo.

– Ele está bem?

– Não sei.

– O que o Ramos fez a ele?

– Não sei.

– Entra comigo.

– Não.

– Por favor.

– Não. Não consigo mais entrar ali. Não posso.

Walter passou a mão pelos cabelos castanhos. Imaginou que ela deveria estar horrorizada com a possibilidade de deparar de novo com o cadáver de Ramos.

– Está bem. Espere aqui. Vou entrar.

Subiu o pequeno alpendre. Abriu a porta da frente. A luz avermelhada do lampião iluminou a sala da casa do açougueiro José Ramos. Walter avançou devagar. Onde encontraria Antunes? Devia estar amarrado e amordaçado, metido em algum armário. Se desse um gemido, chutasse uma porta, Walter saberia onde ele se achava.

– Antunes! – chamou. – Antunes!

Prosseguiu, o lampião aceso desvendando o caminho. Na sala, não havia nada, isso estava claro. Parou à entrada do corredor que conduzia aos quartos. Na primeira peça devia jazer o cadáver de Ramos. Foi assaltado por um funesto pressentimento de que talvez ele não estivesse lá, de que talvez o golpe com o martelo não o tivesse matado. Sentiu arrepios. Ramos poderia estar escondido em algum desvão escuro da casa, armado com o machado, pronto para saltar sobre ele. Olhou em volta. A sala parecia vazia. Então viu, no assoalho, o desnível causado pelo alçapão danificado. Caminhou até lá, a luz do lampião sempre a sua frente. Agachou-se. Empurrou a tampa do alçapão, e ela se abriu com um estalido. A tampa ficou balançando alguns segundos. Walter debruçou-se sobre a abertura, enfiou por ela o braço com o lampião. Um porão. Era óbvio que se tratava de um porão. Mas não conseguia enxergar direito o que havia lá. Só se fosse até lá embaixo, e aquele buraco certamente não era a entrada. Devia existir uma, em algum lugar. Walter se pôs de joelhos. Onde seria a entrada? Olhou em volta. Notou a porta no canto da sala. Devia ser ali. Decidiu descer para investigar o porão. Mas... e Ramos? Queria se certificar de que o cadáver de Ramos continuava no quarto. Queria ter certeza de que o açougueiro estava morto. Levantou-se. Olhou outra vez para o corredor. Avançou.

Por que Catarina não quis vir com ele? O que ela temia? Será que também achava que Ramos pudesse estar vivo? Ou simplesmente tinha horror à ideia de ver o corpo mais uma vez, de entrar na casa onde fora cometido um assassinato? Walter lembrou-se da cena de Ramos caído de borco, um olho aberto fitando o vazio. Morto. Claro que estava morto. Respirou fundo. Entrou no corredor. Caminhou dois, três passos fitando a porta do quarto entreaberta. Empurrou a porta com as costas da mão. Respirou fundo mais uma vez. Levantou o lampião.

Lá estava ele.

Walter se sentiu aliviado e horrorizado ao mesmo tempo. Aliviado porque o açougueiro não representava mais uma ameaça. Horrorizado porque ele, Walter, é que fizera aquilo. Ele era um assassino. Que desgraça. Que maldição. Não esperava que aquela história terminasse assim. Esperava viver uma história de amor com Catarina. Estava tudo errado.

Walter girou nos calcanhares. Voltou para o corredor. Para a sala. Ia descer ao porão. Antunes só poderia estar lá embaixo. Claro. Era a possibilidade mais concreta. Será que havia caído por aquele alçapão? O pensamento o encheu de angústia. Esperava que o amigo não estivesse machucado. Atravessou a sala novamente, agora com passos rápidos. Abriu a porta que levava ao porão. Iluminou a longa e íngreme escadaria de madeira. Desceu o primeiro degrau. Outro. Mais outro. Com o que ia deparar agora? Sabia que havia mais surpresas naquela casa. Intuía que ainda havia muito a descobrir. Chegou ao fim da escadaria.

Abriu a porta do porão.

Entrou.

Um cheiro forte de carne podre o atingiu como se fosse um soco. Walter cambaleou, tonto. Sentiu-se nauseado.

– Meu Deus...

O lugar era tétrico. Grandes vigas sustentavam o teto elevado a pelo menos cinco metros de altura. O chão de terra batida tornava o local úmido. Havia barris espalhados pelas paredes. No centro, uma mesa com postas de carne. Ou, pelo menos, Walter supôs que eram postas de carne. Moscas enxameavam em volta da mesa. Decidiu não se aproximar. Poderia desmaiar, tal o bafio que emanava de lá.

Então viu.

Dois corpos lado a lado. Reconheceu Antunes de imediato.

– Meu Deus! – gritou, levando a mão esquerda à boca. – Meu Deus!

Caminhou até o amigo. Antunes jazia deitado de costas, a cabeça fendida, o pescoço seccionado, sangue por toda parte. Emiliana, ao lado dele, também fora degolada, mas seu crânio estava intacto. Lágrimas marejaram os olhos de Walter.

Ambos mortos.

Assassinados.

Walter sentiu vontade de gritar, de chorar, de abraçar o amigo. Não teve tempo para nada disso. O som das patas de um cavalo se afastando a galope pela rua do Arvoredo monopolizou sua atenção.

48. "Em covas cristãs"

O chefe de polícia Dario Rafael Callado encontrou evidências de que pelo menos dez homens foram assassinados e, posteriormente, esquartejados no porão da casa número 27 da rua do Arvoredo, habitada pelos inquilinos José Ramos e Catarina Palse. Tais indícios lhe foram fornecidos pelos pertences das vítimas, que Ramos guardava como suvenires no grande baú do porão, e por ossos humanos parcialmente corroídos, descobertos num tonel de ácido e em escavações superficiais feitas no quintal. Dario Callado ficou entre satisfeito e preocupado. Satisfeito porque isso resolvia o caso dos desaparecimentos misteriosos. Preocupado porque o criminoso era um de seus informantes assalariados. Para o chefe de polícia, o ideal seria que esse caso permanecesse em sigilo absoluto. Mas ele sabia de antemão que seria impossível guardar segredo. Havia muitas pessoas envolvidas. O sapateiro, o anspeçada, as famílias dos desaparecidos. Além disso, aquela velhota, a tal Honestina, ela não saía de perto, ela acompanhou as diligências, ela desceu ao porão, tapou o nariz com a mão encarquilhada e fez um ó de espanto à vista dos cadáveres e de todo o sangue, ela assistiu às buscas no pátio, ela deu depoimentos, fez comentários, perguntou tudo a todos, se imiscuiu em cada desvão do caso e, no final, já estava dando palpites para o chefe de polícia. Não havia como afastá-la. E ela falava. Ah, como ela falava.

Mas o pior era a conclusão a que Callado chegara. As evidências apontavam para uma trama sinistra. Tudo indicava que os cadáveres haviam sido descarnados, desossados, convertidos em linguiça e vendidos no açougue instalado no pátio frontal da casa. Aos corpos ainda intocados de Antunes e Emiliana, certamente estava reservada igual sorte. Agora, pelo menos, teriam um enterro decente.

Um soldado vomitou, ao tomar conhecimento das conclusões do chefe.

Dario Callado compreendeu de imediato que a história da linguiça feita com carne de gente era incendiária. Aquilo transformava quase que a população inteira em antropófaga. A linguiça era uma das preferências gastronômicas dos porto-alegrenses. Ele mesmo havia comido a tal linguiça especial diversas vezes. Em seu último encontro com Ramos, saíra do açougue com um pacote de linguiça dado de presente pelo seu antigo informante. Callado sentiu engulhos. Por que o desgraçado fazia aquilo? Aquele caso lhe traria muitos problemas, tinha plena convicção. Precisava abafar pelo menos a parte que se referia à linguiça.

Não conseguiu. A sempre atenta dona Honestina, escudada por suas asseclas da vizinhança, cuidou para que ele não conseguisse abafar informação alguma. A notícia se espalhou pela cidade com a rapidez da locomotiva Baronesa, que há dez anos ligava a Baía de Guanabara a Petrópolis, se constituindo na primeira estrada ferroviária do Brasil. Em questão de horas, a cidade toda comentava os assassinatos e o que fora feito dos corpos.

O fato de Catarina Palse ser alemã e de que o açougue, antes de Ramos, tivesse sido de propriedade de um alemão despertou a animosidade racial latente da cidade. O Palácio do Governo foi cercado por populares que exigiam providências, sem, no entanto, especificar o que as autoridades poderiam fazer. Era revolta em estado puro. As pessoas talvez quisessem que a polícia desmentisse aquela história escatológica. E queriam, sobretudo, encontrar um culpado no qual pudessem descarregar sua indignação. Gritavam que os alemães eram assassinos, que eram canibais. O chefe Dario Callado precisou usar toda a força policial para dissolver a manifestação.

De volta aos seus lares, ressentidos, frustrados, os moradores de Porto Alegre desencadearam um processo coletivo e silencioso de assimilação do caso. Como se toda a cidade houvesse entrado em um acordo mudo, ninguém mais falava dos crimes da rua do Arvoredo. Aquela história rapidamente se transformou em tabu para os porto-alegrenses. Quando um forasteiro perguntava se era verdade que existira em Porto Alegre um açougue que vendia linguiça feita com carne humana, os cidadãos mudavam de assunto, debochavam, juravam que aquilo não passava de folclore.

Walter foi absolvido da acusação de assassinato.

A polícia não achou sequer rastros da loira Catarina Palse.

Antunes e Emiliana foram enterrados em covas cristãs do cemitério dos Altos da Azenha.

Walter achou prudente manter a sapataria fechada por pelo menos quinze dias, devido à sua ascendência alemã e ao seu envolvimento na história. Ao cabo desse período, porém, não a reabriu. Numa manhã clara de novembro, ele e Brasiliano montaram em seus cavalos e, acompanhados de Januário, trotearam em silêncio colina acima, até a praça da Matriz. Desceram a rua da Ladeira, entraram à direita na rua da Praia. Só pararam no alto da rua, nas proximidades da Santa Casa.

Apearam.

Olharam para a cidade, que formigava lá embaixo. Brasiliano lembrou-se da primeira visão que teve de Porto Alegre, quando chegou de seu périplo desde o Alegrete, dez anos antes.

– Gosto desta cidade – disse.

Walter não respondeu. Ficou admirando os prédios da rua da Praia, em sua maioria com dois andares, as residências no piso de cima, as casas de comércio no piso de baixo. Observou a movimentação no cais do porto, as obras do Mercado Público.

– Tens certeza do que tu vais fazer? – Brasiliano falou com um acento triste na voz. Walter o encarou.

– Tenho, sim.

– Essa mulher... não sei se ela é a mulher certa pra ti.

– Talvez não seja.

– Tu sabes qual foi a participação dela em toda essa história?

– Tenho algumas suspeitas.

Ficaram se olhando por alguns segundos. Em seguida, Brasiliano se voltou para a cidade. Fitou o horizonte. Sentiu-se triste. Achou que Walter não ia mais falar. Mas Walter falou:

– Ela queria mudar, amigo. Tenho certeza de que ela queria mudar.

Brasiliano olhou para ele. Sorriu tristemente. Curvou-se um pouco e afagou a cabeça de Januário.

– Ai, amigo, como queria que tu ficasses.

Walter sentiu o calor do afeto do outro lhe queimar o peito. Deu um passo na direção dele. Levou as duas mãos aos ombros largos de Brasiliano.

– Não se preocupe. Tudo vai dar certo. Só quero entender o que aconteceu, entender o que sinto.

Brasiliano balançou a cabeça.

– Está bem, amigo. Mas bem que tu poderias me deixar ir junto. Eu e o Januário aqui poderíamos te ser de grande serventia.

Walter sorria.

– Estou certo disso – também ele afagou a cabeça de Januário, que balançou o rabo, contente.

– Mas tenho que resolver isso sozinho. A missão de vocês é ficar aqui e tomar conta da minha casa e da minha sapataria.

O sapateiro então girou o corpo, enfiou um pé no estribo e montou agilmente. Brasiliano montou também.

– Está chegando a hora de ir – sussurrou Walter, emocionado, olhando para o amigo.

– Buenas – Brasiliano virou o pescoço para frente. Voltou a fitar a cidade. – Será que Porto Alegre vai perder seu melhor sapateiro?

Walter apertou os lábios.

– Esta cidade se tornou a minha cidade também. Tanto quanto sua. Sei o que você sente por ela. É o que eu sinto. Essa cidade às vezes é suja, às vezes é má, às vezes é sombria, às vezes é feia, mas acredito nela. Tudo isso que aconteceu ali na rua do Arvoredo – e Walter apontou com a cabeça na direção da rua em que morava –, tudo isso deixou os habitantes de Porto Alegre traumatizados, bem sei. Por um período, eles se transformaram em canibais, mesmo que de forma involuntária. Devorar a própria espécie, o maior dos interditos. Nada pode ser mais monstruoso. É o maior dos crimes. O maior crime da Terra – olhou para Brasiliano outra vez. – Mas essa cidade vai prosseguir, amigo. E eu faço parte dela. Eu, você, o Januário, a Bronze, todos nós fazemos parte dela. Essa cidade vai seguir em frente, amigo.

Walter esporeou de leve o cavalo. Começou a se afastar.

– Agora eu vou – disse, já a alguns metros de distância, sem se virar.

Montado em seu cavalo, Brasiliano o observou ir-se embora. A tristeza lhe doía fundo no peito. Queria que seu tordilho ainda estivesse vivo para dá-lo de presente a Walter e lhe facilitar a jornada. Pensou na Bronze. Decidiu que ia afogar a melancolia entre os seios fartos da morena. Walter estava bem a uns dez metros. Então, Brasiliano gritou, angustiado:

– Amigo Walter!

Walter sofreou o cavalou. Olhou para trás.

– Amigo! – continuou Brasiliano. – A Argentina é longe. E há uma guerra no caminho.

Walter sorriu.

– Eu sei, amigo. Eu bem sei.

POSFÁCIO

Este é um livro de ficção baseado numa história real. Os crimes da rua do Arvoredo ocorreram em Porto Alegre entre os anos de 1863 e 1864. José Ramos e Catarina Palse existiram. O chefe de polícia Dario Callado também, assim como a Bronze, a baronesa do Gravataí, o príncipe de Ajudá e o major Câmara (mais tarde promovido a marechal), além de outras figuras históricas citadas.

Pesquisei em diversos arquivos históricos, li duas dezenas de livros e entrevistei algumas pessoas para compreender o cotidiano da Porto Alegre do século 19. Ninguém me ajudou tanto quanto o professor Décio Freitas, falecido em março de 2004. Fui ao apartamento de Décio, no Centro de Porto Alegre, para conversar com ele sobre os crimes da rua do Arvoredo e sobre a história da cidade. Entrevistei-o diversas vezes. Li seus livros. Um deles, *O maior crime da Terra*, publicado pela editora Sulina, serviu-me como referência maior para escrever esta história de ficção.

Também bebi de outras fontes. As seguintes:

- *Aparência do Rio de Janeiro*, de Gastão Cruls, José Olympio Editora.

- *As ruas de Porto Alegre*, volumes 1 e 2, Eloy Terra, AGE.
- *Casa da Roda*, CEDOP.
- *Catálogo das atas da Câmara de Vereadores de Porto Alegre – 1856 a 1865*, Unidade Editorial.
- *História das mulheres* – volume 4, Editora Afrontamento.
- *História da vida privada no Brasil* – volume 2, Companhia das Letras.
- *História da vida privada* – volume 4, Companhia das Letras.
- *Mauá – Empresário do Império*, de Jorge Caldeira, Companhia das Letras.
- *O ano 1826 da imigração e colonização alemã no Rio Grande do Sul*, de Carlos H. Hunsche, Editora Metrópole.
- *O Brasil na fotografia oitocentista*, de Pedro Karp Vasquez, Metalivros.
- *O marechal Câmara*, de Rinaldo Pereira da Câmara.
- *Pequena história de Porto Alegre*, de Walter Spalding, Sulina.
- *Porto Alegre – a cidade e sua formação*, de Clóvis Silveira de Oliveira, Gráfica Editora Norma.
- *Porto Alegre – crônicas da minha cidade*, de Ary Veiga Sanhudo, Editora Movimento.
- *Porto Alegre foi assim...*, Editora Sagra Luzzatto.
- *Porto Alegre – guia histórico*, de Sérgio da Costa Franco, Editora da Universidade.

- *Solar dos Câmara*, Assembleia Legislativa do Rio Grande do Sul.
- *Silveira Martins*, de Newton Alvim, Tchê!

Os nomes atuais das ruas, logradouros e localidades citados neste livro são os que se seguem abaixo:

- Beco do Poço – ou rua do Poço. Antiga rua General Paranhos, trecho que foi incorporado à avenida Borges de Medeiros.
- Ilha do Desterro – cidade de Florianópolis.
- Rua do Arroio, dos Sete Pecados Capitais e dos Nabos a Doze – rua General Bento Martins.
- Rua do Arvoredo – rua Fernando Machado.
- Rua do Cemitério – rua Espírito Santo.
- Rua da Figueira – rua Coronel Genuíno.
- Rua Formosa – rua Duque de Caxias.
- Rua da Ladeira – rua General Câmara.
- Rua da Margem – rua João Alfredo.
- Rua da Olaria – rua Lima e Silva.
- Rua da Ponte – rua Riachuelo.
- Rua do Rosário – rua Vigário José Inácio.
- Rua Santa Catarina – rua Doutor Flores.
- Rua da Varginha – rua Demétrio Ribeiro

Coleção L&PM POCKET (Lançamentos mais recentes)

600.**Crime e castigo** – Dostoiévski
601.**Mistério no Caribe** – Agatha Christie
602.**Odisseia (2): Regresso** – Homero
603.**Piadas para sempre (2)** – Visconde da Casa Verde
604.**À sombra do vulcão** – Malcolm Lowry
605(8).**Kerouac** – Yves Buin
606.**E agora são cinzas** – Angeli
607.**As mil e uma noites** – Paulo Caruso
608.**Um assassino entre nós** – Ruth Rendell
609.**Crack-up** – F. Scott Fitzgerald
610.**Do amor** – Stendhal
611.**Cartas do Yage** – William Burroughs e Allen Ginsberg
612.**Striptiras (2)** – Laerte
613.**Henry & June** – Anaïs Nin
614.**A piscina mortal** – Ross Macdonald
615.**Geraldão (2)** – Glauco
616.**Tempo de delicadeza** – A. R. de Sant'Anna
617.**Tiros na noite 2: Medo de tiro** – Dashiell Hammett
618.**Snoopy em Assim é a vida, Charlie Brown! (3)** – Schulz
619.**1954 – Um tiro no coração** – Hélio Silva
620.**Sobre a inspiração poética (Íon)** e ... – Platão
621.**Garfield e seus amigos (8)** – Jim Davis
622.**Odisseia (3): Ítaca** – Homero
623.**A louca matança** – Chester Himes
624.**Factótum** – Bukowski
625.**Guerra e Paz: volume 1** – Tolstói
626.**Guerra e Paz: volume 2** – Tolstói
627.**Guerra e Paz: volume 3** – Tolstói
628.**Guerra e Paz: volume 4** – Tolstói
629(9).**Shakespeare** – Claude Mourthé
630.**Bem está o que bem acaba** – Shakespeare
631.**O contrato social** – Rousseau
632.**Geração Beat** – Jack Kerouac
633.**Snoopy: É Natal! (4)** – Charles Schulz
634.**Testemunha da acusação** – Agatha Christie
635.**Um elefante no caos** – Millôr Fernandes
636.**Guia de leitura (100 autores que você precisa ler)** – Organização de Léa Masina
637.**Pistoleiros também mandam flores** – David Coimbra
638.**O prazer das palavras** – vol. 1 – Cláudio Moreno
639.**O prazer das palavras** – vol. 2 – Cláudio Moreno
640.**Novíssimo testamento: com Deus e o diabo, a dupla da criação** – Iotti
641.**Literatura Brasileira: modos de usar** – Luís Augusto Fischer
642.**Dicionário de Porto-Alegrês** – Luís A. Fischer
643.**Clô Dias & Noites** – Sérgio Jockymann
644.**Memorial de Isla Negra** – Pablo Neruda
645.**Um homem extraordinário e outras histórias** – Tchékhov
646.**Ana sem terra** – Alcy Cheuiche
647.**Adultérios** – Woody Allen
651.**Snoopy: Posso fazer uma pergunta, professora? (5)** – Charles Schulz
652(10).**Luís XVI** – Bernard Vincent
653.**O mercador de Veneza** – Shakespeare
654.**Cancioneiro** – Fernando Pessoa
655.**Non-Stop** – Martha Medeiros
656.**Carpinteiros, levantem bem alto a cumeeira & Seymour, uma apresentação** – J.D.Salinger
657.**Ensaios céticos** – Bertrand Russell
658.**O melhor de Hagar 5** – Dik e Chris Browne
659.**Primeiro amor** – Ivan Turguêniev
660.**A trégua** – Mario Benedetti
661.**Um parque de diversões da cabeça** – Lawrence Ferlinghetti
662.**Aprendendo a viver** – Sêneca
663.**Garfield, um gato em apuros (9)** – Jim Davis
664.**Dilbert (1)** – Scott Adams
666.**A imaginação** – Jean-Paul Sartre
667.**O ladrão e os cães** – Naguib Mahfuz
669.**A volta do parafuso** *seguido de* **Daisy Miller** – Henry James
670.**Notas do subsolo** – Dostoiévski
671.**Abobrinhas da Brasilônia** – Glauco
672.**Geraldão (3)** – Glauco
673.**Piadas para sempre (3)** – Visconde da Casa Verde
674.**Duas viagens ao Brasil** – Hans Staden
676.**A arte da guerra** – Maquiavel
677.**Além do bem e do mal** – Nietzsche
678.**O coronel Chabert** *seguido de* **A mulher abandonada** – Balzac
679.**O sorriso de marfim** – Ross Macdonald
680.**100 receitas de pescados** – Sílvio Lancellotti
681.**O juiz e seu carrasco** – Friedrich Dürrenmatt
682.**Noites brancas** – Dostoiévski
683.**Quadras ao gosto popular** – Fernando Pessoa
685.**Kaos** – Millôr Fernandes
686.**A pele de onagro** – Balzac
687.**As ligações perigosas** – Choderlos de Laclos
689.**Os Lusíadas** – Luís Vaz de Camões
690(11).**Átila** – Éric Deschodt
691.**Um jeito tranquilo de matar** – Chester Himes
692.**A felicidade conjugal** *seguido de* **O diabo** – Tolstói
693.**Viagem de um naturalista ao redor do mundo** – vol. 1 – Charles Darwin
694.**Viagem de um naturalista ao redor do mundo** – vol. 2 – Charles Darwin
695.**Memórias da casa dos mortos** – Dostoiévski
696.**A Celestina** – Fernando de Rojas
697.**Snoopy: Como você é azarado, Charlie Brown! (6)** – Charles Schulz
698.**Dez (quase) amores** – Claudia Tajes
699.**Poirot sempre espera** – Agatha Christie
701.**Apologia de Sócrates** *precedido de* **Êutifron** e *seguido de* **Críton** – Platão
702.**Wood & Stock** – Angeli

703.**Striptiras (3)** – Laerte
704.**Discurso sobre a origem e os fundamentos da desigualdade entre os homens** – Rousseau
705.**Os duelistas** – Joseph Conrad
706.**Dilbert (2)** – Scott Adams
707.**Viver e escrever** (vol. 1) – Edla van Steen
708.**Viver e escrever** (vol. 2) – Edla van Steen
709.**Viver e escrever** (vol. 3) – Edla van Steen
710.**A teia da aranha** – Agatha Christie
711.**O banquete** – Platão
712.**Os belos e malditos** – F. Scott Fitzgerald
713.**Libelo contra a arte moderna** – Salvador Dalí
714.**Akropolis** – Valerio Massimo Manfredi
715.**Devoradores de mortos** – Michael Crichton
716.**Sob o sol da Toscana** – Frances Mayes
717.**Batom na cueca** – Nani
718.**Vida dura** – Claudia Tajes
719.**Carne trêmula** – Ruth Rendell
720.**Cris, a fera** – David Coimbra
721.**O anticristo** – Nietzsche
722.**Como um romance** – Daniel Pennac
723.**Emboscada no Forte Bragg** – Tom Wolfe
724.**Assédio sexual** – Michael Crichton
725.**O espírito do Zen** – Alan W.Watts
726.**Um bonde chamado desejo** – Tennessee Williams
727.**Como gostais** *seguido de* **Conto de inverno** – Shakespeare
728.**Tratado sobre a tolerância** – Voltaire
729.**Snoopy: Doces ou travessuras? (7)** – Charles Schulz
730.**Cardápios do Anonymus Gourmet** – J.A. Pinheiro Machado
731.**100 receitas com lata** – J.A. Pinheiro Machado
732.**Conhece o Mário?** vol.2 – Santiago
733.**Dilbert (3)** – Scott Adams
734.**História de um louco amor** *seguido de* **Passado amor** – Horacio Quiroga
735(11).**Sexo: muito prazer** – Laura Meyer da Silva
736(12).**Para entender o adolescente** – Dr. Ronald Pagnoncelli
737(13).**Desembarcando a tristeza** – Dr. Fernando Lucchese
738.**Poirot e o mistério da arca espanhola & outras histórias** – Agatha Christie
739.**A última legião** – Valerio Massimo Manfredi
741.**Sol nascente** – Michael Crichton
742.**Duzentos ladrões** – Dalton Trevisan
743.**Os devaneios do caminhante solitário** – Rousseau
744.**Garfield, o rei da preguiça (10)** – Jim Davis
745.**Os magnatas** – Charles R. Morris
746.**Pulp** – Charles Bukowski
747.**Enquanto agonizo** – William Faulkner
748.**Aline: viciada em sexo (3)** – Adão Iturrusgarai
749.**A dama do cachorrinho** – Anton Tchékhov
750.**Tito Andrônico** – Shakespeare
751.**Antologia poética** – Anna Akhmátova
752.**O melhor de Hagar 6** – Dik e Chris Browne
753(12).**Michelangelo** – Nadine Sautel
754.**Dilbert (4)** – Scott Adams
755.**O jardim das cerejeiras** *seguido de* **Tio Vânia** – Tchékhov
756.**Geração Beat** – Claudio Willer
757.**Santos Dumont** – Alcy Cheuiche
758.**Budismo** – Claude B. Levenson
759.**Cleópatra** – Christian-Georges Schwentzel
760.**Revolução Francesa** – Frédéric Bluche, Stéphane Rials e Jean Tulard
761.**A crise de 1929** – Bernard Gazier
762.**Sigmund Freud** – Edson Sousa e Paulo Endo
763.**Império Romano** – Patrick Le Roux
764.**Cruzadas** – Cécile Morrisson
765.**O mistério do Trem Azul** – Agatha Christie
768.**Senso comum** – Thomas Paine
769.**O parque dos dinossauros** – Michael Crichton
770.**Trilogia da paixão** – Goethe
773.**Snoopy: No mundo da lua! (8)** – Charles Schulz
774.**Os Quatro Grandes** – Agatha Christie
775.**Um brinde de cianureto** – Agatha Christie
776.**Súplicas atendidas** – Truman Capote
779.**A viúva imortal** – Millôr Fernandes
780.**Cabala** – Roland Goetschel
781.**Capitalismo** – Claude Jessua
782.**Mitologia grega** – Pierre Grimal
783.**Economia: 100 palavras-chave** – Jean-Paul Betbèze
784.**Marxismo** – Henri Lefebvre
785.**Punição para a inocência** – Agatha Christie
786.**A extravagância do morto** – Agatha Christie
787(13).**Cézanne** – Bernard Fauconnier
788.**A identidade Bourne** – Robert Ludlum
789.**Da tranquilidade da alma** – Sêneca
790.**Um artista da fome** *seguido de* **Na colônia penal e outras histórias** – Kafka
791.**Histórias de fantasmas** – Charles Dickens
796.**O Uraguai** – Basílio da Gama
797.**A mão misteriosa** – Agatha Christie
798.**Testemunha ocular do crime** – Agatha Christie
799.**Crepúsculo dos ídolos** – Friedrich Nietzsche
802.**O grande golpe** – Dashiell Hammett
803.**Humor barra pesada** – Nani
804.**Vinho** – Jean-François Gautier
805.**Egito Antigo** – Sophie Desplancques
806(14).**Baudelaire** – Jean-Baptiste Baronian
807.**Caminho da sabedoria, caminho da paz** – Dalai Lama e Felizitas von Schönborn
808.**Senhor e servo e outras histórias** – Tolstói
809.**Os cadernos de Malte Laurids Brigge** – Rilke
810.**Dilbert (5)** – Scott Adams
811.**Big Sur** – Jack Kerouac
812.**Seguindo a correnteza** – Agatha Christie
813.**O álibi** – Sandra Brown
814.**Montanha-russa** – Martha Medeiros
815.**Coisas da vida** – Martha Medeiros
816.**A cantada infalível** *seguido de* **A mulher do centroavante** – David Coimbra
819.**Snoopy: Pausa para a soneca (9)** – Charles Schulz
820.**De pernas pro ar** – Eduardo Galeano

821.**Tragédias gregas** – Pascal Thiercy
822.**Existencialismo** – Jacques Colette
823.**Nietzsche** – Jean Granier
824.**Amar ou depender?** – Walter Riso
825.**Darmapada: A doutrina budista em versos**
826.**J'Accuse...! – a verdade em marcha** – Zola
827.**Os crimes ABC** – Agatha Christie
828.**Um gato entre os pombos** – Agatha Christie
831.**Dicionário de teatro** – Luiz Paulo Vasconcellos
832.**Cartas extraviadas** – Martha Medeiros
833.**A longa viagem de prazer** – J. J. Morosoli
834.**Receitas fáceis** – J. A. Pinheiro Machado
835.(14).**Mais fatos & mitos** – Dr. Fernando Lucchese
836.(15).**Boa viagem!** – Dr. Fernando Lucchese
837.**Aline: Finalmente nua!!!** (4) – Adão Iturrusgarai
838.**Mônica tem uma novidade!** – Mauricio de Sousa
839.**Cebolinha em apuros!** – Mauricio de Sousa
840.**Sócios no crime** – Agatha Christie
841.**Bocas do tempo** – Eduardo Galeano
842.**Orgulho e preconceito** – Jane Austen
843.**Impressionismo** – Dominique Lobstein
844.**Escrita chinesa** – Viviane Alleton
845.**Paris: uma história** – Yvan Combeau
846(15).**Van Gogh** – David Haziot
848.**Portal do destino** – Agatha Christie
849.**O futuro de uma ilusão** – Freud
850.**O mal-estar na cultura** – Freud
853.**Um crime adormecido** – Agatha Christie
854.**Satori em Paris** – Jack Kerouac
855.**Medo e delírio em Las Vegas** – Hunter Thompson
856.**Um negócio fracassado e outros contos de humor** – Tchékhov
857.**Mônica está de férias!** – Mauricio de Sousa
858.**De quem é esse coelho?** – Mauricio de Sousa
860.**O mistério Sittaford** – Agatha Christie
861.**Manhã transfigurada** – L. A. de Assis Brasil
862.**Alexandre, o Grande** – Pierre Briant
863.**Jesus** – Charles Perrot
864.**Islã** – Paul Balta
865.**Guerra da Secessão** – Farid Ameur
866.**Um rio que vem da Grécia** – Cláudio Moreno
868.**Assassinato na casa do pastor** – Agatha Christie
869.**Manual do líder** – Napoleão Bonaparte
870(16).**Billie Holiday** – Sylvia Fol
871.**Bidu arrasando!** – Mauricio de Sousa
872.**Os Sousa: Desventuras em família** – Mauricio de Sousa
874.**E no final a morte** – Agatha Christie
875.**Guia prático do Português correto – vol. 4** – Cláudio Moreno
876.**Dilbert (6)** – Scott Adams
877(17).**Leonardo da Vinci** – Sophie Chauveau
878.**Bella Toscana** – Frances Mayes
879.**A arte da ficção** – David Lodge
880.**Striptiras (4)** – Laerte
881.**Skrotinhos** – Angeli
882.**Depois do funeral** – Agatha Christie
883.**Radicci 7** – Iotti
884.**Walden** – H. D. Thoreau
885.**Lincoln** – Allen C. Guelzo
886.**Primeira Guerra Mundial** – Michael Howard
887.**A linha de sombra** – Joseph Conrad
888.**O amor é um cão dos diabos** – Bukowski
890.**Despertar: uma vida de Buda** – Jack Kerouac
891(18).**Albert Einstein** – Laurent Seksik
892.**Hell's Angels** – Hunter Thompson
893.**Ausência na primavera** – Agatha Christie
894.**Dilbert (7)** – Scott Adams
895.**Ao sul de lugar nenhum** – Bukowski
896.**Maquiavel** – Quentin Skinner
897.**Sócrates** – C.C.W. Taylor
899.**O Natal de Poirot** – Agatha Christie
900.**As veias abertas da América Latina** – Eduardo Galeano
901.**Snoopy: Sempre alerta! (10)** – Charles Schulz
902.**Chico Bento: Plantando confusão** – Mauricio de Sousa
903.**Penadinho: Quem é morto sempre aparece** – Mauricio de Sousa
904.**A vida sexual da mulher feia** – Claudia Tajes
905.**100 segredos de liquidificador** – José Antonio Pinheiro Machado
906.**Sexo muito prazer 2** – Laura Meyer da Silva
907.**Os nascimentos** – Eduardo Galeano
908.**As caras e as máscaras** – Eduardo Galeano
909.**O século do vento** – Eduardo Galeano
910.**Poirot perde uma cliente** – Agatha Christie
911.**Cérebro** – Michael O'Shea
912.**O escaravelho de ouro e outras histórias** – Edgar Allan Poe
913.**Piadas para sempre (4)** – Visconde da Casa Verde
914.**100 receitas de massas light** – Helena Tonetto
915(19).**Oscar Wilde** – Daniel Salvatore Schiffer
916.**Uma breve história do mundo** – H. G. Wells
917.**A Casa do Penhasco** – Agatha Christie
919.**John M. Keynes** – Bernard Gazier
920(20).**Virginia Woolf** – Alexandra Lemasson
921.**Peter e Wendy** *seguido de* **Peter Pan em Kensington Gardens** – J. M. Barrie
922.**Aline: numas de colegial (5)** – Adão Iturrusgarai
923.**Uma dose mortal** – Agatha Christie
924.**Os trabalhos de Hércules** – Agatha Christie
926.**Kant** – Roger Scruton
927.**A inocência do Padre Brown** – G.K. Chesterton
928.**Casa Velha** – Machado de Assis
929.**Marcas de nascença** – Nancy Huston
930.**Aulete de bolso**
931.**Hora Zero** – Agatha Christie
932.**Morte na Mesopotâmia** – Agatha Christie
934.**Nem te conto, João** – Dalton Trevisan
935.**As aventuras de Huckleberry Finn** – Mark Twain
936(21).**Marilyn Monroe** – Anne Plantagenet
937.**China moderna** – Rana Mitter
938.**Dinossauros** – David Norman
939.**Louca por homem** – Claudia Tajes
940.**Amores de alto risco** – Walter Riso

941.**Jogo de damas** – David Coimbra
942.**Filha é filha** – Agatha Christie
943.**M ou N?** – Agatha Christie
945.**Bidu: diversão em dobro!** – Mauricio de Sousa
946.**Fogo** – Anaïs Nin
947.**Rum: diário de um jornalista bêbado** – Hunter Thompson
948.**Persuasão** – Jane Austen
949.**Lágrimas na chuva** – Sergio Faraco
950.**Mulheres** – Bukowski
951.**Um pressentimento funesto** – Agatha Christie
952.**Cartas na mesa** – Agatha Christie
954.**O lobo do mar** – Jack London
955.**Os gatos** – Patricia Highsmith
956(22).**Jesus** – Christiane Rancé
957.**História da medicina** – William Bynum
958.**O Morro dos Ventos Uivantes** – Emily Brontë
959.**A filosofia na era trágica dos gregos** – Nietzsche
960.**Os treze problemas** – Agatha Christie
961.**A massagista japonesa** – Moacyr Scliar
963.**Humor do miserê** – Nani
964.**Todo o mundo tem dúvida, inclusive você** – Édison de Oliveira
965.**A dama do Bar Nevada** – Sergio Faraco
969.**O psicopata americano** – Bret Easton Ellis
970.**Ensaios de amor** – Alain de Botton
971.**O grande Gatsby** – F. Scott Fitzgerald
972.**Por que não sou cristão** – Bertrand Russell
973.**A Casa Torta** – Agatha Christie
974.**Encontro com a morte** – Agatha Christie
975(23).**Rimbaud** – Jean-Baptiste Baronian
976.**Cartas na rua** – Bukowski
977.**Memória** – Jonathan K. Foster
978.**A abadia de Northanger** – Jane Austen
979.**As pernas de Úrsula** – Claudia Tajes
980.**Retrato inacabado** – Agatha Christie
981.**Solanin (1)** – Inio Asano
982.**Solanin (2)** – Inio Asano
983.**Aventuras de menino** – Mitsuru Adachi
984(16).**Fatos & mitos sobre sua alimentação** – Dr. Fernando Lucchese
985.**Teoria quântica** – John Polkinghorne
986.**O eterno marido** – Fiódor Dostoiévski
987.**Um safado em Dublin** – J. P. Donleavy
988.**Mirinha** – Dalton Trevisan
989.**Akhenaton e Nefertiti** – Carmen Seganfredo e A. S. Franchini
990.**On the Road – o manuscrito original** – Jack Kerouac
991.**Relatividade** – Russell Stannard
992.**Abaixo de zero** – Bret Easton Ellis
993(24).**Andy Warhol** – Mériam Korichi
995.**Os últimos casos de Miss Marple** – Agatha Christie
996.**Nico Demo: Aí vem encrenca** – Mauricio de Sousa
998.**Rousseau** – Robert Wokler
999.**Noite sem fim** – Agatha Christie
1000.**Diários de Andy Warhol (1)** – Editado por Pat Hackett
1001.**Diários de Andy Warhol (2)** – Editado por Pat Hackett
1002.**Cartier-Bresson: o olhar do século** – Pierre Assouline
1003.**As melhores histórias da mitologia: vol. 1** – A.S. Franchini e Carmen Seganfredo
1004.**As melhores histórias da mitologia: vol. 2** – A.S. Franchini e Carmen Seganfredo
1005.**Assassinato no beco** – Agatha Christie
1006.**Convite para um homicídio** – Agatha Christie
1008.**História da vida** – Michael J. Benton
1009.**Jung** – Anthony Stevens
1010.**Arsène Lupin, ladrão de casaca** – Maurice Leblanc
1011.**Dublinenses** – James Joyce
1012.**120 tirinhas da Turma da Mônica** – Mauricio de Sousa
1013.**Antologia poética** – Fernando Pessoa
1014.**A aventura de um cliente ilustre *seguido de* O último adeus de Sherlock Holmes** – Sir Arthur Conan Doyle
1015.**Cenas de Nova York** – Jack Kerouac
1016.**A corista** – Anton Tchékhov
1017.**O diabo** – Leon Tolstói
1018.**Fábulas chinesas** – Sérgio Capparelli e Márcia Schmaltz
1019.**O gato do Brasil** – Sir Arthur Conan Doyle
1020.**Missa do Galo** – Machado de Assis
1021.**O mistério de Marie Rogêt** – Edgar Allan Poe
1022.**A mulher mais linda da cidade** – Bukowski
1023.**O retrato** – Nicolai Gogol
1024.**O conflito** – Agatha Christie
1025.**Os primeiros casos de Poirot** – Agatha Christie
1027(25).**Beethoven** – Bernard Fauconnier
1028.**Platão** – Julia Annas
1029.**Cleo e Daniel** – Roberto Freire
1030.**Til** – José de Alencar
1031.**Viagens na minha terra** – Almeida Garrett
1032.**Profissões para mulheres e outros artigos feministas** – Virginia Woolf
1033.**Mrs. Dalloway** – Virginia Woolf
1034.**O cão da morte** – Agatha Christie
1035.**Tragédia em três atos** – Agatha Christie
1037.**O fantasma da Ópera** – Gaston Leroux
1038.**Evolução** – Brian e Deborah Charlesworth
1039.**Medida por medida** – Shakespeare
1040.**Razão e sentimento** – Jane Austen
1041.**A obra-prima ignorada *seguido de* Um episódio durante o Terror** – Balzac
1042.**A fugitiva** – Anaïs Nin
1043.**As grandes histórias da mitologia greco--romana** – A. S. Franchini
1044.**O corno de si mesmo & outras historietas** – Marquês de Sade
1045.**Da felicidade *seguido de* Da vida retirada** – Sêneca
1046.**O horror em Red Hook e outras histórias** – H. P. Lovecraft
1047.**Noite em claro** – Martha Medeiros
1048.**Poemas clássicos chineses** – Li Bai, Du Fu e Wang Wei
1049.**A terceira moça** – Agatha Christie
1050.**Um destino ignorado** – Agatha Christie

1051(26).**Buda** – Sophie Royer
1052.**Guerra Fria** – Robert J. McMahon
1053.**Simons's Cat: as aventuras de um gato travesso e comilão – vol. 1** – Simon Tofield
1054.**Simons's Cat: as aventuras de um gato travesso e comilão – vol. 2** – Simon Tofield
1055.**Só as mulheres e as baratas sobreviverão** – Claudia Tajes
1057.**Pré-história** – Chris Gosden
1058.**Pintou sujeira!** – Mauricio de Sousa
1059.**Contos de Mamãe Gansa** – Charles Perrault
1060.**A interpretação dos sonhos: vol. 1** – Freud
1061.**A interpretação dos sonhos: vol. 2** – Freud
1062.**Frufru Rataplã Dolores** – Dalton Trevisan
1063.**As melhores histórias da mitologia egípcia** – Carmem Seganfredo e A.S. Franchini
1064.**Infância. Adolescência. Juventude** – Tolstói
1065.**As consolações da filosofia** – Alain de Botton
1066.**Diários de Jack Kerouac – 1947-1954**
1067.**Revolução Francesa – vol. 1** – Max Gallo
1068.**Revolução Francesa – vol. 2** – Max Gallo
1069.**O detetive Parker Pyne** – Agatha Christie
1070.**Memórias do esquecimento** – Flávio Tavares
1071.**Drogas** – Leslie Iversen
1072.**Manual de ecologia (vol.2)** – J. Lutzenberger
1073.**Como andar no labirinto** – Affonso Romano de Sant'Anna
1074.**A orquídea e o serial killer** – Juremir Machado da Silva
1075.**Amor nos tempos de fúria** – Lawrence Ferlinghetti
1076.**A aventura do pudim de Natal** – Agatha Christie
1078.**Amores que matam** – Patricia Faur
1079.**Histórias de pescador** – Mauricio de Sousa
1080.**Pedaços de um caderno manchado de vinho** – Bukowski
1081.**A ferro e fogo: tempo de solidão (vol.1)** – Josué Guimarães
1082.**A ferro e fogo: tempo de guerra (vol.2)** – Josué Guimarães
1084(17).**Desembarcando o Alzheimer** – Dr. Fernando Lucchese e Dra. Ana Hartmann
1085.**A maldição do espelho** – Agatha Christie
1086.**Uma breve história da filosofia** – Nigel Warburton
1088.**Heróis da História** – Will Durant
1089.**Concerto campestre** – L. A. de Assis Brasil
1090.**Morte nas nuvens** – Agatha Christie
1092.**Aventura em Bagdá** – Agatha Christie
1093.**O cavalo amarelo** – Agatha Christie
1094.**O método de interpretação dos sonhos** – Freud
1095.**Sonetos de amor e desamor** – Vários
1096.**120 tirinhas do Dilbert** – Scott Adams
1097.**200 fábulas de Esopo**
1098.**O curioso caso de Benjamin Button** – F. Scott Fitzgerald
1099.**Piadas para sempre: uma antologia para morrer de rir** – Visconde da Casa Verde
1100.**Hamlet (Mangá)** – Shakespeare
1101.**A arte da guerra (Mangá)** – Sun Tzu
1104.**As melhores histórias da Bíblia (vol.1)** – A. S. Franchini e Carmen Seganfredo
1105.**As melhores histórias da Bíblia (vol.2)** – A. S. Franchini e Carmen Seganfredo
1106.**Psicologia das massas e análise do eu** – Freud
1107.**Guerra Civil Espanhola** – Helen Graham
1108.**A autoestrada do sul e outras histórias** – Julio Cortázar
1109.**O mistério dos sete relógios** – Agatha Christie
1110.**Peanuts: Ninguém gosta de mim... (amor)** – Charles Schulz
1111.**Cadê o bolo?** – Mauricio de Sousa
1112.**O filósofo ignorante** – Voltaire
1113.**Totem e tabu** – Freud
1114.**Filosofia pré-socrática** – Catherine Osborne
1115.**Desejo de status** – Alain de Botton
1118.**Passageiro para Frankfurt** – Agatha Christie
1120.**Kill All Enemies** – Melvin Burgess
1121.**A morte da sra. McGinty** – Agatha Christie
1122.**Revolução Russa** – S. A. Smith
1123.**Até você, Capitu?** – Dalton Trevisan
1124.**O grande Gatsby (Mangá)** – F. S. Fitzgerald
1125.**Assim falou Zaratustra (Mangá)** – Nietzsche
1126. **Peanuts: É para isso que servem os amigos (amizade)** – Charles Schulz
1127(27).**Nietzsche** – Dorian Astor
1128.**Bidu: Hora do banho** – Mauricio de Sousa
1129.**O melhor do Macanudo Taurino** – Santiago
1130.**Radicci 30 anos** – Iotti
1131.**Show de sabores** – J.A. Pinheiro Machado
1132.**O prazer das palavras** – vol. 3 – Cláudio Moreno
1133.**Morte na praia** – Agatha Christie
1134.**O fardo** – Agatha Christie
1135.**Manifesto do Partido Comunista (Mangá)** – Marx & Engels
1136.**A metamorfose (Mangá)** – Franz Kafka
1137.**Por que você não se casou... ainda** – Tracy McMillan
1138.**Textos autobiográficos** – Bukowski
1139.**A importância de ser prudente** – Oscar Wilde
1140.**Sobre a vontade na natureza** – Arthur Schopenhauer
1141.**Dilbert (8)** – Scott Adams
1142.**Entre dois amores** – Agatha Christie
1143.**Cipreste triste** – Agatha Christie
1144.**Alguém viu uma assombração?** – Mauricio de Sousa
1145.**Mandela** – Elleke Boehmer
1146.**Retrato do artista quando jovem** – James Joyce
1147.**Zadig ou o destino** – Voltaire
1148.**O contrato social (Mangá)** – J.-J. Rousseau
1149.**Garfield fenomenal** – Jim Davis
1150.**A queda da América** – Allen Ginsberg
1151.**Música na noite & outros ensaios** – Aldous Huxley
1152.**Poesias inéditas & Poemas dramáticos** – Fernando Pessoa
1153.**Peanuts: Felicidade é...** – Charles M. Schulz
1154.**Mate-me por favor** – Legs McNeil e Gillian McCain
1155.**Assassinato no Expresso Oriente** – Agatha Christie
1156.**Um punhado de centeio** – Agatha Christie

1157.**A interpretação dos sonhos (Mangá)** – Freud
1158.**Peanuts: Você não entende o sentido da vida** – Charles M. Schulz
1159.**A dinastia Rothschild** – Herbert R. Lottman
1160.**A Mansão Hollow** – Agatha Christie
1161.**Nas montanhas da loucura** – H.P. Lovecraft
1162(28).**Napoleão Bonaparte** – Pascale Fautrier
1163.**Um corpo na biblioteca** – Agatha Christie
1164.**Inovação** – Mark Dodgson e David Gann
1165.**O que toda mulher deve saber sobre os homens: a afetividade masculina** – Walter Riso
1166.**O amor está no ar** – Mauricio de Sousa
1167.**Testemunha de acusação & outras histórias** – Agatha Christie
1168.**Etiqueta de bolso** – Celia Ribeiro
1169.**Poesia reunida (volume 3)** – Affonso Romano de Sant'Anna
1170.**Emma** – Jane Austen
1171.**Que seja em segredo** – Ana Miranda
1172.**Garfield sem apetite** – Jim Davis
1173.**Garfield: Foi mal...** – Jim Davis
1174.**Os irmãos Karamázov (Mangá)** – Dostoiévski
1175.**O Pequeno Príncipe** – Antoine de Saint-Exupéry
1176.**Peanuts: Ninguém mais tem o espírito aventureiro** – Charles M. Schulz
1177.**Assim falou Zaratustra** – Nietzsche
1178.**Morte no Nilo** – Agatha Christie
1179.**Ê, soneca boa** – Mauricio de Sousa
1180.**Garfield a todo o vapor** – Jim Davis
1181.**Em busca do tempo perdido (Mangá)** – Proust
1182.**Cai o pano: o último caso de Poirot** – Agatha Christie
1183.**Livro para colorir e relaxar** – Livro 1
1184.**Para colorir sem parar**
1185.**Os elefantes não esquecem** – Agatha Christie
1186.**Teoria da relatividade** – Albert Einstein
1187.**Compêndio da psicanálise** – Freud
1188.**Visões de Gerard** – Jack Kerouac
1189.**Fim de verão** – Mohiro Kitoh
1190.**Procurando diversão** – Mauricio de Sousa
1191.**E não sobrou nenhum e outras peças** – Agatha Christie
1192.**Ansiedade** – Daniel Freeman & Jason Freeman
1193.**Garfield: pausa para o almoço** – Jim Davis
1194.**Contos do dia e da noite** – Guy de Maupassant
1195.**O melhor de Hagar 7** – Dik Browne
1196(29).**Lou Andreas-Salomé** – Dorian Astor
1197(30).**Pasolini** – René de Ceccatty
1198.**O caso do Hotel Bertram** – Agatha Christie
1199.**Crônicas de motel** – Sam Shepard
1200.**Pequena filosofia da paz interior** – Catherine Rambert
1201.**Os sertões** – Euclides da Cunha
1202.**Treze à mesa** – Agatha Christie
1203.**Bíblia** – John Riches
1204.**Anjos** – David Albert Jones
1205.**As tirinhas do Guri de Uruguaiana 1** – Jair Kobe
1206.**Entre aspas (vol.1)** – Fernando Eichenberg
1207.**Escrita** – Andrew Robinson
1208.**O spleen de Paris: pequenos poemas em prosa** – Charles Baudelaire
1209.**Satíricon** – Petrônio
1210.**O avarento** – Molière
1211.**Queimando na água, afogando-se na chama** – Bukowski
1212.**Miscelânea septuagenária: contos e poemas** – Bukowski
1213.**Que filosofar é aprender a morrer e outros ensaios** – Montaigne
1214.**Da amizade e outros ensaios** – Montaigne
1215.**O medo à espreita e outras histórias** – H.P. Lovecraft
1216.**A obra de arte na era de sua reprodutibilidade técnica** – Walter Benjamin
1217.**Sobre a liberdade** – John Stuart Mill
1218.**O segredo de Chimneys** – Agatha Christie
1219.**Morte na rua Hickory** – Agatha Christie
1220.**Ulisses (Mangá)** – James Joyce
1221.**Ateísmo** – Julian Baggini
1222.**Os melhores contos de Katherine Mansfield** – Katherine Mansfied
1223(31).**Martin Luther King** – Alain Foix
1224.**Millôr Definitivo: uma antologia de *A Bíblia do Caos*** – Millôr Fernandes
1225.**O Clube das Terças-Feiras e outras histórias** – Agatha Christie
1226.**Por que sou tão sábio** – Nietzsche
1227.**Sobre a mentira** – Platão
1228.**Sobre a leitura** *seguido do* **Depoimento de Céleste Albaret** – Proust
1229.**O homem do terno marrom** – Agatha Christie
1230(32).**Jimi Hendrix** – Franck Médioni
1231.**Amor e amizade e outras histórias** – Jane Austen
1232.**Lady Susan, Os Watson e Sanditon** – Jane Austen
1233.**Uma breve história da ciência** – William Bynum
1234.**Macunaíma: o herói sem nenhum caráter** – Mário de Andrade
1235.**A máquina do tempo** – H.G. Wells
1236.**O homem invisível** – H.G. Wells
1237.**Os 36 estratagemas: manual secreto da arte da guerra** – Anônimo
1238.**A mina de ouro e outras histórias** – Agatha Christie
1239.**Pic** – Jack Kerouac
1240.**O habitante da escuridão e outros contos** – H.P. Lovecraft
1241.**O chamado de Cthulhu e outros contos** – H.P. Lovecraft
1242.**O melhor de Meu reino por um cavalo!** – Edição de Ivan Pinheiro Machado
1243.**A guerra dos mundos** – H.G. Wells
1244.**O caso da criada perfeita e outras histórias** – Agatha Christie
1245.**Morte por afogamento e outras histórias** – Agatha Christie
1246.**Assassinato no Comitê Central** – Manuel Vázquez Montalbán